Madeleine Héroux

Téa Stilton

le secret des Fées du Lac

ALBIN MICHEL JEUNESSE

Texte de Téa Stilton.
*Coordination des textes d'*Alessandra Berello
et Arianna Bevilacqua *(Atlantyca S.p.A.).*
*Collaboration éditoriale d'*Elena Peduzzi.
Coordination éditoriale de Patrizia Puricelli.
Édition de Maria Ballarotti, *avec la collaboration de* Maura Nalini.
Coordination artistique de Flavio Ferron.
Assistance artistique de Tommaso Valsecchi.
Couverture de Danilo Barozzi *et* Flavio Ferron.
Illustrations intérieures de Giuseppe Facciotto, Barbara Pellizzari *(dessins)*
et Alessandro Muscillo *(couleurs).*
Illustrations du «Journal du monde d'Erin» de Danilo Barozzi.
Graphisme de Marta Lorini.
*Basé sur une idée originale d'*Elisabetta Dami.
Traduction de Jean-Claude Béhar.

www.geronimostilton.com

Pour l'édition originale :
© 2012, Edizioni Piemme S.p.A. – Corso Como, 15 – 20154 Milan, Italie
sous le titre *Il segreto delle fate del lago*
International rights © Atlantyca S.p.A. – Via Leopardi, 8 – 20123 Milan, Italie
www.atlantyca.com – contact : foreignrights@atlantyca.it
Pour l'édition française :
© 2014, Albin Michel Jeunesse – 22, rue Huyghens, 75014 Paris
Blog: albinmicheljeunesse.blogspot.com
Loi 49-956 du 16 juillet 1949 sur les publications destinées à la jeunesse
Dépôt légal : second semestre 2014
Numéro d'édition : 21340
Isbn-13 : 978 2 226 25786 4
Imprimé en France par Pollina s.a. en octobre 2014 - L69800

Téa Stilton et les Téa Sisters

Téa

Paulina

Colette

Violet

Nicky

Paméla

Le monde d'Erin

Dans le monde magique d'Erin vivent des créatures étranges. Leurs noms et leurs caractéristiques rappellent ceux des personnages des contes irlandais, mais ils sont ici réinventés par l'imagination et la fantaisie, pour les rendre fascinants et uniques.

Les pookas : ces lutins agaçants sont capables de prendre différentes formes. Dans le monde d'Erin, ils se transforment souvent en chevaux noirs aux yeux luisants !

Les fées du lac : elles protègent les secrets du monde d'Erin. Elles s'expriment uniquement par des énigmes : celui qui ne parvient pas à les résoudre demeure immobile pendant un an !

Les gobelins des sons : ces créatures malfaisantes au nez crochu et aux oreilles en pointe vivent dans la gorge des Sons. Ils détestent les intrus...

Les lutins verts : ils habitent sur la rive du fleuve de la gorge des Sons. Joyeux et vifs, ils adorent servir de guides, mais finissent toujours par se perdre en chemin !

Les fées du Oui : ce sont d'exceptionnelles cuisinières. Leur table est toujours dressée, mais les invités ne peuvent quitter le repas sans leur consentement !

 Les leprechauns : lutins cordonniers, célèbres dans le monde d'Erin pour leur extraordinaire savoir-faire. Quand ils ne travaillent pas, ils s'amusent à faire des blagues.

Les gnomes : minuscules créatures qui vivent dans les arbres de la forêt Enchantée. Sympathiques et hospitaliers, ils portent des chapeaux pointus et des bottes.

 Les banshees : ce sont des fées solitaires, sublimement belles, mais toujours tristes. Pour trouver une banshee, il suffit de suivre le son de sa plainte.

Les gardiens des trésors : ils vivent dans le marais Gris. Ce sont des lutins avides, qui ne pensent qu'à accumuler des richesses.

 Les Bonnets-Rouges : créatures étranges aux manières brutales et inquiétantes. Les Bonnets-Rouges font partie de la cour des Mécontents.

EXAMENS DE FIN DE TRIMESTRE

Au collège de Raxford venait de s'ouvrir une des périodes les plus difficiles de l'année : celle des **examens** !

Les Téa Sisters allaient affronter l'épreuve d'**Économie** et Statistique.

J'ai sommeil !

Nicky referma son livre et s'exclama :

– Je ne parviens plus à garder les **YEUX** ouverts, les filles !

– À qui le dis-tu ! bâilla Violet.

– Moi, je vais dormir, les heures de sommeil sont essentielles pour garder la **FORME** ! ajouta Colette.

– Je t'accompagne, petite sœur, déclara Pam, en s'étirant.

– Il faudrait que je travaille encore pour préparer l'examen, soupira Violet, *désespérée*, mais franchement je n'en peux plus !

– Tu t'en sortiras très bien, aucun doute là-dessus, la rassura Nicky en lui donnant une tape amicale sur l'épaule.

Paulina ne cessait d'inscrire des chiffres sur son bloc de papier.

– Tu ne viens pas te reposer ? s'enquit Colette.

– Je dois encore vérifier une *formule*.

– À ta guise… Bonne nuit alors ! lui souhaitèrent en chœur ses amies.

Paulina les salua et replongea dans ses notes. Au bout d'un moment, elle releva la tête et s'aperçut que l'AUBE pointait.

«Combien de temps suis-je restée là, à étudier ?» se demanda-t-elle.

Elle se frotta les yeux, et se leva pour ouvrir la fenêtre. Elle prit une bonne bouffée d'air frais. Le VENT vif du matin lui caressait le visage, quand elle aperçut quelqu'un dans le jardin.

C'était moi, Téa Stilton !

Le recteur du collège de Raxford m'avait chargée d'organiser un

C'est déjà l'aube !

séminaire sur les **techniques d'investigations sous-marines**. Je revenais d'une plongée, revêtue de ma combinaison. Je tenais le masque et les palmes à la main, et mon **allure** paraissait donc plutôt insolite à cette heure !

Paulina, intriguée, descendit me saluer.

– Bonjour, Téa ! me lança-t-elle avec un grand sourire.

– Bonjour, Paulina. Tu es bien matinale, aujourd'hui !

– À vrai dire… je n'ai pas dormi !

Mon regard tomba sur le **livre** qu'elle portait sous le bras, et je compris aussitôt la raison de cette nuit blanche.

– Les examens approchent, n'est-ce pas ?

– Exact ! Et le professeur Aristoratos est très exigeant !

– Tiens bon ! lui lançai-je avec un **SOURIRE**. Je vous réserve une surprise assourissante pour le prochain trimestre !

– Vraiment ? De quoi s'agit-il ? s'écria Paulina, les yeux brillants d'**excitation**.

– D'un séminaire sur les techniques d'investigations sous-marines. Je reviens tout juste d'une reconnaissance des fonds autour de l'île des Baleines : j'ai repéré de nombreux **RECOINS** oubliés qui pourraient nous révéler des histoires fort intéressantes ! Tu verras, je suis certaine que ça te plaira !

Paulina n'en croyait pas ses oreilles : avec ses

amies, elles m'accompagneraient pour découvrir les mystères marins !

– C'est une nouvelle fantasouristique ! s'exclama-t-elle. Je cours prévenir les autres.

Vive comme l'éclair, elle s'ENGOUFFRA dans l'escalier. Je la suivis du regard, pensant à la chance que j'avais d'avoir des étudiantes aussi enthousiastes que les Téa Sisters.

Puis je me dirigeai vers ma chambre : je devais prendre une douche et préparer ma rencontre avec le recteur.

Je parcourus le long couloir, mais au moment d'ouvrir ma porte, je remarquai un papier glissé dessous : c'était une lettre !

UN APPEL
À L'AIDE

J'entrai dans ma chambre, la lettre en main, et refermai la porte. Je l'examinai, intriguée, et ce que je vis me laissa bouche bée : elle venait de l'I.H.I., l'**Institut des histoires incroyables***.

Sur le bord de l'enveloppe apparaissait un dessin qui ne laissait aucun doute sur sa provenance :

c'était le symbole des *Sept Roses*, une des sections les plus secrètes de l'I.H.I. ! Peu de temps avant, j'avais été soumise à un **test**

spécial pour participer à ses travaux, et j'avais commencé à suivre la formation adéquate, mais c'était la première fois qu'on me contactait.

* Les Téa Sisters et moi-même collaborons avec l'I.H.I. en tant qu'expertes en journalisme d'investigation. Pour en savoir plus, rendez-vous à la page 16.

I.H.I.

Très chère Téa,

Le département des Sept Roses a besoin de ton aide. Nina, une de nos scientifiques les plus prometteuses, avait, depuis peu, entrepris une intéressante étude sur les légendes de la mythologie irlandaise.

Il y a une vingtaine de jours, elle est partie pour l'Irlande afin de recueillir des matériaux sur le terrain. Mais depuis plus d'une semaine, nous avons perdu sa trace. Il semble qu'elle ait disparu dans le néant.

J'ai besoin que tu m'aides à la retrouver. Si tu es d'accord, appelle-moi au numéro qui se trouve au dos de cette feuille.

La vie de Nina est peut-être menacée!

Très cordialement

WILL MISTERY

Département des Sept Roses

J'ouvris l'enveloppe, et commençai à lire...

Je composai aussitôt le numéro de téléphone.

– Salut, Will, ici Téa Stilton.

– Téa ! Merci du fond du cœur d'appeler !

– Comment faire autrement ! Apparemment il s'agit d'une extrême **URGENCE**...

Will baissa la voix :

– J'aurais voulu avoir plus de temps pour t'expliquer de quoi s'occupe notre département. Ta **FORMATION** n'est pas encore terminée, et tu ne connais pas les détails de nos activités... Mais j'ai besoin de toi immédiatement. L'affaire est grave !

– Compte sur moi ! Que dois-je faire ? demandai-je, *intriguée*.

– Je voudrais que tu te rendes

I.H.I.
Institut des histoires incroyables

Un centre de recherches ultra-secret
L'I.H.I. a été fondé par un groupe de scientifiques qui se consacrent à l'étude des mystères non éclaircis. Mister Alpha dirige l'institut.

Un Q.G. invisible
Pour garantir le maximum de discrétion aux recherches en cours, le siège de l'I.H.I. est dissimulé au sein des glaces de l'Antarctique : on y accède par un tunnel souterrain, en passant à travers l'hologramme d'une tour de glace.

LES SEPT ROSES

Le département des Sept Roses est la section la plus secrète de l'I.H.I. Il est dédié à l'étude des mondes fantastiques. Il est dirigé par Will Mistery, un chercheur de grande érudition, assisté dans ses travaux par une importante équipe de collaborateurs.

LES TÉA SISTERS ET L'I.H.I.

Téa Stilton et les Téa Sisters ont œuvré aux côtés de l'I.H.I. durant l'aventure intitulée *Le Prince de l'Atlantide*. Depuis lors, Téa collabore officiellement avec le département des Sept Roses en raison de ses compétences exceptionnelles en journalisme d'investigation.

en Irlande pour retrouver *Nina*, la collaboratrice dont je t'ai parlé, expliqua Will. D'après les dernières nouvelles que nous avons reçues, elle aurait découvert quelque chose d'important à propos des anciennes légendes irlandaises. Nous savons qu'elle enquêtait sur les vieilles ruines qui se dressent sur un rocher de la région de Cork. Vu

tes qualités exceptionnelles de JOURNALISTE d'investigation, je suis certain que tu la retrouveras !

– Je ferai de mon mieux ! répondis-je. Où Nina a-t-elle été vue pour la dernière fois ?

– À Dunmore East, un village sur la côte, à l'est de Cork. Un agent de l'I.H.I. t'attendra à l'auberge Dogwalk. Comme toujours, je te ferai transmettre une enveloppe à l'aéroport, avec les INSTRUCTIONS pour y accéder et te faire reconnaître par notre agent.

– Très bien, Will. Je vais préparer mon DÉPART pour l'Irlande sur-le-champ. Je te donnerai bientôt de mes nouvelles, conclus-je en raccrochant le combiné.

Mission
top secrète

Juste à ce moment, une quinte de **toux** derrière la porte de ma chambre me mit en alerte : m'espionnait-on ?

Je jetai un coup d'œil dans le couloir, mais ne vis que *Vanilla* qui discutait au téléphone.

J'ouvris le tiroir de ma commode et pris le pendentif des Sept Roses que j'avais reçu quand j'avais accepté de collaborer avec le département. C'était le moment de le mettre !

Puis je commençai à préparer mes bagages.

Une demi-heure plus tard, j'étais dans le hall du collège, prête à partir. Devant l'entrée de l'**amphithéâtre** d'Économie et

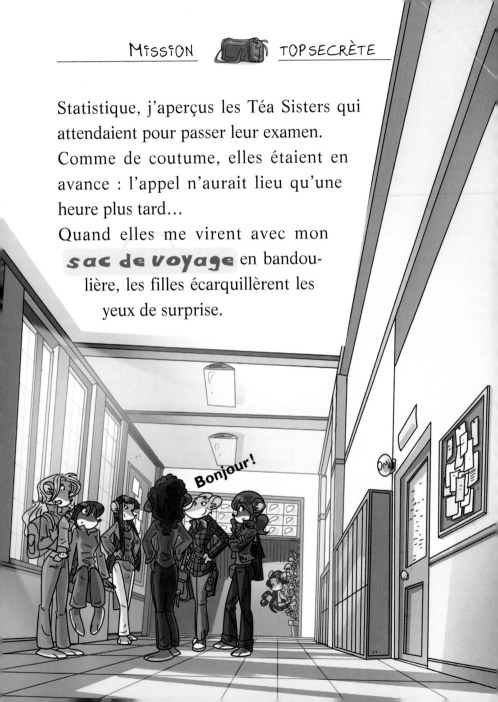

Statistique, j'aperçus les Téa Sisters qui attendaient pour passer leur examen. Comme de coutume, elles étaient en avance : l'appel n'aurait lieu qu'une heure plus tard...
Quand elles me virent avec mon *sac de voyage* en bandoulière, les filles écarquillèrent les yeux de surprise.

Bonjour!

– Téa ! s'exclamèrent-elles à l'unisson.

– **Bonjour !** répondis-je d'un ton joyeux.

– Mais... où vas-tu ? demandèrent-elles, toujours en chœur.

– Malheureusement je dois partir plus tôt que prévu... L'I.H.I. m'a confié une **mission** ultra-secrète, expliquai-je en tentant de masquer mon inquiétude.

– L'I.H.I... répétèrent les filles, émues. Alors nous t'accompagnons ! En quoi consiste cette mission ?

– Non, répliquai-je, cette fois je dois l'accomplir seule. C'est le département des Sept Roses qui m'a appelée. Il s'agit d'une section très **confiden-tielle** dont vous ne faites pas encore partie. Et puis il y a les examens du collège... Donc de toute façon vous ne pourriez pas venir !

À ce moment je me rendis compte que quelqu'un s'était rapproché insensiblement de nous... C'était Vanilla !

– Salut, Vanilla ! m'exclamai-je, en la faisant sur-sauter de **surprise**. Es-tu fin prête pour l'épreuve ? À mon avis tu ferais bien d'aller réviser au lieu de traîner !

Le visage **HÉBÉTÉ** par l'embarras, Vanilla bredouilla :

– Heu, je… voilà… je voulais savoir si…

Hum…

Je la fixai d'un œil sévère.

– Tu ne changes pas, n'est-ce pas Vanilla ? Tu fourres toujours ton nez dans les **AFFAIRES** des autres…

Elle tourna les talons, et s'en alla, furieuse.

Les Téa Sisters échangèrent un regard entendu, puis Colette proposa :

– Allons dans la salle de lecture ! À cette heure-ci, il n'y a personne, et nous pourrons parler tranquillement, à l'abri des oreilles indiscrètes !

Dès que nous fûmes seules, j'expliquai :

– **WILL MISTERY**, le directeur du département des Sept Roses, m'a demandé de localiser Nina, une de ses collaboratrices, qui a mystérieusement disparu.

– Mais Téa, protestèrent les jeunes filles, ensemble nous sommes invincibles… Sans nous, tu pourrais te retrouver dans des situations très dangereuses !

– Ne vous en faites pas pour moi, assurai-je avec un sourire attendri, je m'en sortirai bien toute seule !
Puis je jetai un coup d'œil rapide à ma montre.

– Pardon les filles, je dois vraiment me *SAUVER* !
Bonne chance pour les examens !

Je partis du collège sans plus me retourner. Je devais me rendre au port pour attraper le premier hydroglisseur, et rejoindre l'aéroport le plus proche.

Bonne chance !

L'AVENTURE COMMENCE !

EN ROUTE POUR L'IRLANDE!

À bord de l'avion, l'hôtesse me tendit une REVUE.

– Désirez-vous un peu de lecture ? me proposa-t-elle avec un sourire complice.

En feuilletant les pages, je dénichai très vite l'enveloppe de l'I.H.I. qui y était glissée. Elle contenait une PHOTO de Nina, ainsi que les indications pour rejoindre le lieu où il fallait commencer les recherches.

Retrouver Nina était une mission d'une importance extrême. Serais-je à la hauteur du devoir qui m'était confié ?

Je profitai du temps de vol pour ordonner mes idées et élaborer une stratégie.

Je jetai un **COUP D'ŒIL** distrait par le hublot et demeurai bouche bée : en bas s'étendait un paysage de rêve !

À perte de vue, des prairies vertes plongeaient dans une mer d'un bleu intense et vibrant…

…C'ÉTAIT L'IRLANDE !

Une fois à terre, je louai une voiture* et pris la direction de Dunmore East, le village où Nina avait été aperçue pour la dernière fois.

Au fur et à mesure que j'avançais, la route devenait de plus en plus étroite et *tortueuse*. Virage après virage, je roulais entre la falaise, qui plongeait à pic vers la mer, et des prairies d'un vert émeraude. Je conduisais prudemment. Le vent soufflait en *bourrasques*, et les vagues se brisaient sur les rochers, faisant jaillir des jets d'écume à des hauteurs inouïes.

Enfin, au bout d'environ une heure de voyage,

*En Irlande, les véhicules roulent à gauche de la route. Pour faciliter la conduite, le volant est placé devant le siège de droite.

j'atteignis le petit *village* de Dunmore East, dans le comté de Waterford, au nord-est de Cork.

L'endroit était charmant : un ensemble pittoresque de maisons de pêcheurs bâties dans une **baie** protégée, et un petit port.

Quand je sortis de l'auto, je fus frappée par une **RAFALE** si forte et soudaine que je faillis perdre l'équilibre.

Tout autour, je ne voyais personne à qui demander mon chemin. Heureusement, le village était très petit, et je n'aurais aucun mal à trouver l'AUBERGE où m'attendait l'agent de l'I.H.I.

Instinctivement, je suivis la route au bord de laquelle j'avais garé ma voiture. Un peu plus loin, un étrange **grincement** attira mon attention. Je levai les yeux : sur un panneau en bois qui oscillait sous le vent, je découvris l'enseigne de l'auberge Dogwalk. **J'étais arrivée!**

L'ÉPREUVE!

Tandis que j'étais aux prises avec mon enquête irlandaise, les Téa Sisters allaient affronter les mystères de l'épreuve d'Économie et Statistique!

Paulina consulta une dernière fois son cahier de notes et demanda à ses amies :

– N'êtes-vous pas anxieuses ?

– Évidemment ! répondit Pam en tirant de son sac un paquet de crackers au fromage. Mais je suis certaine que ça se passera très bien !

– C'est l'heure d'ENTRER dans la salle, annonça le professeur Aristoratos, en invitant les étudiants à s'installer.

– Un instant ! s'exclama fébrilement Colette. Hors de question de passer l'examen sans la fragrance adéquate…

Elle sortit son parfum préféré, Soupir de

souris n°5, et s'en pulvérisa quelques gouttes derrière les oreilles.

    – Voilà, maintenant nous pouvons y aller ! décréta-t-elle, satisfaite.

    Ses amies la regardèrent, amusées : Colette était vraiment incorrigible !

    Par bonheur, ces jeunes filles savaient aussi **sourire** dans les moments de tension. Quand elles pénétrèrent dans la salle, les autres étudiants étaient déjà assis à leurs places.

Le professeur Aristoratos, debout derrière son bureau, s'apprêtait à distribuer les **sujets**.

– Nous pouvons commencer, clama-t-il d'un ton grave.

Il s'agissait d'abord d'une vingtaine de **questions** à choix multiple, avec pour chacune quatre réponses possibles, dont une seule était juste. Ce questionnaire était suivi de plusieurs **problèmes**, qui inquiétaient particulièrement les Téa Sisters.

L'ÉPREUVE! L'ÉPREUVE!

Avec une certaine anxiété, les étudiants se mirent à lire les énoncés.

La grande **horloge** suspendue derrière le bureau leur signalait l'écoulement inexorable du temps.

– *Plus qu'une demi-heure !* annonça le professeur.

Tous se dépêchèrent d'achever le travail, jusqu'au moment de la *remise* des copies.

– Comment ça s'est passé, les filles ? s'enquit Nicky, dès qu'elles furent sorties de la salle.

– Je n'ai pas **résolu** la dernière question… soupira Colette, mécontente.

– Si tu as bien répondu au reste, tu n'as rien à **craindre**, la réconforta Violet.

Nicky sourit à ses amis, puis s'exclama :

– Les filles, étant donné que nous avons accompli

Plus qu'une demi-heure !

notre **DEVOIR**, qui était de passer cet examen, que diriez-vous de concocter une petite surprise à Téa en la rejoignant? La mission qui lui a été confiée semble plutôt délicate, et elle pourrait avoir besoin de nous…

Les cinq *amies* échangèrent un regard entendu et foncèrent dans la chambre de Nicky pour téléphoner à Will Mistery.

Il saurait certainement les aider à REJOINDRE Téa Stilton (c'est-à-dire moi-même)!

EN HAUTE MER !
c

Les filles composèrent le numéro ultra-secret de
L'I.H.I., qu'elles ne pouvaient utiliser qu'en cas
d'**URGENCE**.

À l'autre bout du fil, une voix impersonnelle leur
répondit :

– Allô, veuillez vous présenter !

– Nous sommes les Téa Sisters, nous voudrions
parler à Will Mistery, **annonça** Paulina
d'un ton résolu.

Les Téa Sisters...

– Ne quittez pas s'il vous plaît, nous
recherchons votre correspondant…

Après un instant de silence, une voix
masculine s'exclama :

– Ici Will Mistery. Je suis ravi de vous
entendre, chères **Téa Sisters** !

Téa m'a beaucoup parlé de vous.

– *Salut, Will !* lancèrent joyeusement les cinq copines. Téa nous a aussi parlé de toi… Nous sommes au courant de la mission que tu lui as confiée, et nous voudrions la rejoindre. Mais Téa ne nous a pas dit exactement où elle allait : pourrais-tu nous fournir les indications pour le VOYAGE ?

Will Mistery hésita, puis répondit :

– Il s'agit d'une mission particulièrement déli-cate, les filles. Mais je crois que le moment est venu de vous intégrer au département des Sept Roses. Vous viendrez ici, à l'I.H.I., afin de subir un **test** spécial : si vous le passez avec succès, vous ferez partie de nos collaborateurs. Et vous pourrez *REJOINDRE* Téa, si elle n'est pas déjà revenue.

– Mais… nous sommes déjà collaboratrices de l'I.H.I. Pourquoi devons-nous subir un test ?

– Pour travailler avec le département des Sept Roses, il faut un laissez-passer totalement personnel, basé sur l'**ADN*** de l'individu.

– Le siège de l'I.H.I. se trouve dans l'Antarctique : il nous faudra des **jours** pour l'atteindre ! protestèrent les Téa Sisters.

– Nous vous organiserons un voyage ultra-rapide, les rassura Will. Rendez-vous immédiatement au port : un **HORS-BORD** vous y attendra. Il s'appelle *La Rose des mers*.

Les jeunes filles coururent se préparer, et foncèrent au port. Sur le bateau, un **agent** de l'I.H.I. les accueillit.

Waouh!

ADN : c'est le code génétique qui caractérise chaque être vivant.

Sans un mot, il les fit monter à bord, et démarra à toute vitesse.

– Le RONFLEMENT de ces moteurs est doux à mes oreilles ! s'exclama Pam.

Mais l'enthousiasme ne dura pas. Dès qu'elles furent en haute mer, le hors-bord RALENTIT puis s'arrêta. Aucune embarcation à l'horizon, et seules des mouettes sillonnaient le ciel. L'espace d'un instant, ce fut le silence...

Ravi de vous connaître !

Que se passait-il ?

Alors, la mer **bouillonna**, et se couvrit d'écume. Entre les vagues apparut la tourelle d'un **SOUS-MARIN**.

Un rongeur en sortit et s'exclama :

– Ravi de vous connaître, jeunes filles ! Je suis **WILL MISTERY**.

LES SEPT ROSES

Les Téa Sisters montèrent à bord du sous-marin, qui les conduisit à la base secrète de l'I.H.I., où se trouvait le *département des Sept Roses*. Will Mistery dirigea le submersible vers une anse cachée. Il manœuvra une *télécommande*, et une paroi, qui paraissait rocheuse, s'ouvrit, révélant une entrée secrète.

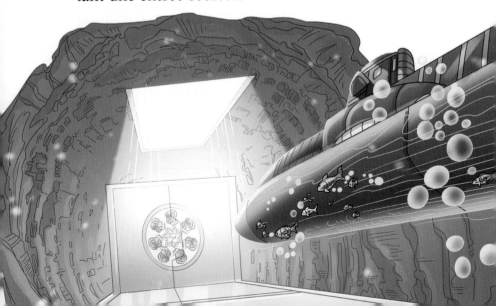

Le sous-marin y pénétra, avant de refaire surface devant un quai d'appontement.

Will Mistery accompagna les jeunes filles jusqu'à une porte d'acier blindé. Il approcha de la plaque métallique un pendentif de Cristal en forme de rose* qu'il portait au cou, et dit simplement :

– Will Mistery.

Aussitôt, la porte s'ouvrit, et ils entrèrent.

– Bienvenue au département des Sept Roses ! lança Will.

Les cinq amies le SUIVIRENT jusqu'à un laboratoire, où elles furent soumises à une série d'examens. D'abord, Will scruta l'iris de leurs yeux avec un appareil spécial, puis il identifia leurs EMPREINTES DIGITALES, et enfin leur fit subir un test ADN en se servant d'un de leurs cheveux. Après quoi il inséra l'ensemble des résultats dans un ordinateur, connecté à une étrange machine. Au bout de quelques instants, une lumière clignota, le volet de l'engin s'ouvrit, et cinq pendentifs de cristal en forme de rose apparurent.

* Le pendentif de cristal en forme de rose est le laissez-passer officiel des collaborateurs du département des Sept Roses.

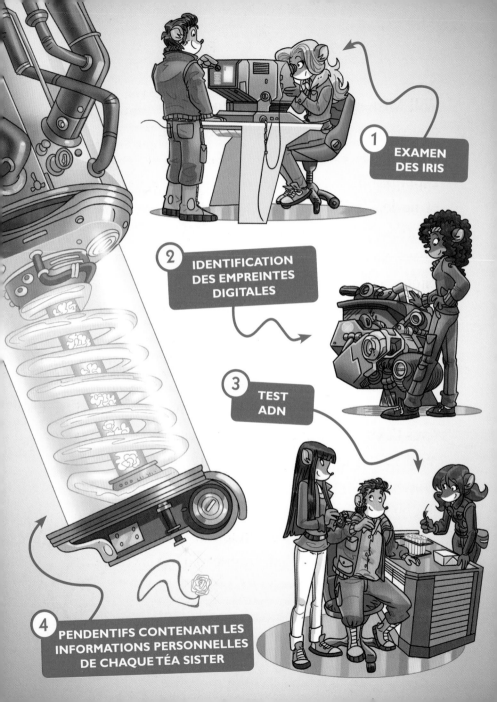

1 EXAMEN DES IRIS

2 IDENTIFICATION DES EMPREINTES DIGITALES

3 TEST ADN

4 PENDENTIFS CONTENANT LES INFORMATIONS PERSONNELLES DE CHAQUE TÉA SISTER

Will Mistery les saisit et en tendit un à chacune des Téa Sisters.
– Voici vos *laissez-passer*,
expliqua-t-il. Ne les perdez pas,
et ne les échangez pas, car ils
contiennent vos informations
personnelles. Grâce à ces
bijoux, vous pourrez être iden-
tifiées à l'intérieur du département, et vous aurez accès
à toutes les salles, y compris
les plus secrètes. Mais souve-

Voici ton pendentif, Paulina !

nez-vous que le laissez-passer ne fonctionne que si
vous l'exhibez et que vous prononcez votre nom :
ainsi la longueur d'onde de votre voix permettra
l'identification complète.
Paulina contempla le sien, fascinée.
– Ce pendentif est magnifique et…
Soudain, elle fut interrompue par un sifflement
insistant : *PIP PIIIP PIIIIP !* PIP PIIIP PIIIIP !
PIP PIIIP PIIIIP ! PIP PIIIP PIIIIP !
PIP PIIIP PIIIIP !

– Mais… que se passe-t-il ?! s'inquiéta Will, en s'approchant d'un ordinateur. Oh non, ça, je ne m'y attendais vraiment pas ! s'exclama-t-il.

Puis il se tourna vers les cinq amies.

– Il faut que je m'en occupe immédiatement : c'est une **URGENCE** !

– Pouvons-nous être utiles ? dit Paulina.

Il réfléchit une fraction de seconde, puis regarda les jeunes filles et leur ordonna :

– *SUIVEZ-MOI !* Vous m'accompagnerez dans la salle des Sept Roses.

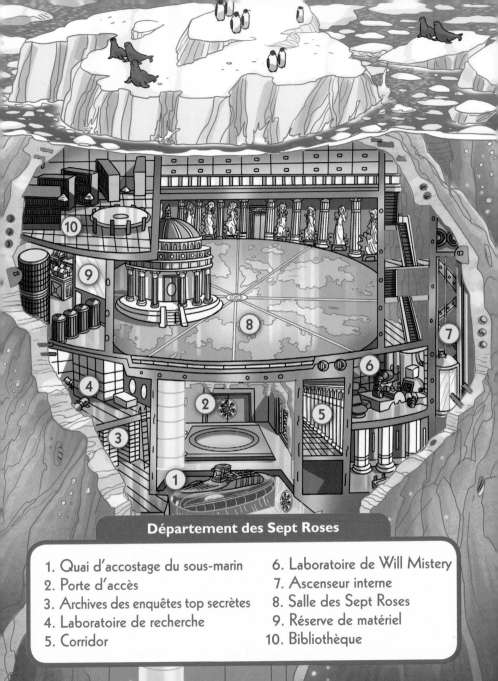

Département des Sept Roses

1. Quai d'accostage du sous-marin
2. Porte d'accès
3. Archives des enquêtes top secrètes
4. Laboratoire de recherche
5. Corridor
6. Laboratoire de Will Mistery
7. Ascenseur interne
8. Salle des Sept Roses
9. Réserve de matériel
10. Bibliothèque

UN MONDE EN DANGER

Tandis qu'ils se *HÂTAIENT* vers la salle des Sept Roses, Will déclara aux Téa Sisters :

– Je ne pensais pas avoir besoin de votre **aide** si vite…

– Est-ce que c'est grave ? s'enquit Paulina.

– Malheureusement oui… et je ne parviens pas à comprendre comment cela a pu se produire…

Puis il ajouta d'un ton PRÉOCCUPÉ :

– J'ai besoin que vous m'accompagniez pour une mission très spéciale et ultra-confidentielle.

– Mais alors, nous ne pourrons pas rejoindre Téa ! protesta Violet.

– J'espère me tromper, soupira Will, mais je crains que Téa soit concernée par cette affaire.

Parvenu au bout du couloir, Will s'arrêta et demanda aux jeunes filles :

– Me promettez-vous de garder le **SECRET** sur tout ce que vous allez voir ?

Les cinq amies acquiescèrent.

Alors il ouvrit la porte blindée et expliqua :

– Vous allez pénétrer dans le lieu le plus secret de notre département : la SALLE DES SEPT ROSES !

Les Téa Sisters franchirent le seuil en retenant leur souffle. Quel endroit incroyable !

– Ici se trouvent les cartes de tous les mondes

fantastiques que nous étudions, commenta Will après avoir refermé la porte.

– Des mondes fantastiques ? répéta Violet.

– Ce sont les lieux où vivent les personnages des légendes, des fables, et des contes de tous les pays du MONDE.

Les Téa Sisters, fascinées, fixaient les cartes géographiques tracées sur le sol et le plafond.

– Chacun de ces mondes fantastiques porte l'IMAGINAIRE et les *rêves* du peuple auquel il correspond, poursuivit Will Mistery. Mais à présent, l'un d'entre eux est en péril !

– Lequel ? l'interrogea Colette, anxieuse.

– Le *monde d'Erin*. Voyez-vous cette faille ? continua Will en indiquant une longue fissure sur une des cartes.

Les jeunes filles tressaillirent.

MONDE D'ERIN

Erin est le nom ancien de l'Irlande. Le département des Sept Roses utilise ce terme pour signifier qu'il s'agit de l'univers des légendes et des mythes irlandais.

– Que signifie-t-elle ?

– Ces cartes ne décrivent pas seulement la géographie de ces mondes : il s'agit de cartes **sensibles**, qui peuvent changer d'aspect selon ce qui se produit dans les lieux qu'elles représentent. L'apparition de

Le monde d'Erin ?

cette **FISSURE** signale qu'une grave menace pèse sur le monde d'Erin...

– Attends... as-tu bien dit le monde d'Erin ? l'arrêta Paulina, **IMPRESSIONNÉE**.

– Oui, pourquoi ?

– Si je ne me trompe, continua-t-elle, Erin est l'ancien nom de l'Irlande. Et sur la carte que tu nous as montrée, Erin... a la même forme que la terre d'Irlande !

– Exactement. Sachez que les MONDES FANTAS-TIQUES sont tous liés à des lieux du monde réel. Étant donné que Nina étudiait les légendes irlandaises et que nous avons perdu sa trace justement en Irlande, je pense que sa disparition a un rapport avec cette **FISSURE**.

Un silence angoissé tomba dans la salle, puis Pam s'exclama :

– Par mille bielles embiellées, mais alors Téa est aux prises avec ce mystère !

! nous devons faire quelque chose !

J'ai besoin de vous !

– C'est pourquoi j'ai besoin de vous, précisa Will. Vous m'accompagnerez en Irlande, ou plutôt dans le monde d'Erin, et vous m'aiderez à *découvrir* ce qui est advenu. Ainsi, nous pourrons prêter main-forte à Téa, j'en suis certain !

Les cinq amies FIXÈRENT Will, perplexes.

– Comment faire pour rejoindre le monde d'Erin ? demandèrent-elles en chœur.

Il *sourit*.

– Nous avons trouvé le moyen de pénétrer dans ce monde fantastique, aux confins de la réalité… Vous le verrez bientôt.

ÉTRANGES TEMPÊTES

Tandis que, dans la salle des Sept Roses, les Téa Sisters examinaient la fissure sur la carte du monde d'Erin, je poursuivais mes recherches en Irlande.

J'avais trouvé sans difficulté l'**auberge Dogwalk**. J'en ouvris la porte et entrai. L'intérieur était plongé dans la **pénombre**.

Je regardai autour de moi, cherchant l'agent de l'I.H.I., mais tous les consommateurs attablés avaient l'apparence de simples clients.

Je me dirigeai alors vers le comptoir, sur lequel, entre les **verres** et les **tasses**, était posé un plateau avec un gâteau, juste sorti du four.

Quelques instants plus tard, un rongeur aux **cheveux** roux s'approcha et commanda un chocolat au lait.

– Est-ce un gâteau au miel ? lui demandai-je en montrant la pâtisserie sur le plateau.

– Non c'est un gâteau d'avoine, un dessert typiquement irlandais, répondit le rongeur sans lever les yeux du comptoir.

C'était la question et la réponse du **code** pour se reconnaître ! J'avais trouvé l'agent secret de l'I.H.I. !

– Je suis Téa Stilton. J'ai été envoyée ici par Will Mistery, avouai-je.

– Je suis au courant. Agent **n⁰ 114** de l'I.H.I. Je m'appelle Ted O'Malley, et je vous attendais, dit-il d'une voix profonde. Venez avec moi, nous devons discuter dans un endroit plus tranquille.

Je sortis de l'auberge à sa suite, et je fus de nouveau frappée par une violente **RAFALE** de vent.

– Ça souffle toujours autant dans cette région ? m'informai-je en me serrant dans mon blouson.

– Non, encore récemment, la mer était calme. Mais

depuis quelques semaines, de très fortes *tempêtes* se sont levées, comme si les fonds marins étaient secoués par de terribles tremblements. Nina, la jeune rongeuse disparue, m'a dit un jour qu'à son avis les bourrasques étaient causées par la colère du ROI ONDEFRÉMISSANTE...

– Ondefré... ?

– Ondefrémissante, roi d'Erin, c'est-à-dire du monde sous la mer, évoqué dans les légendes de la mythologie irlandaise... expliqua O'Malley.

Puis il ajouta en soupirant :

– Mais ici, personne ne croit plus aux légendes...

– Pourquoi le roi d'Erin serait-il furieux ? demandai-je, toujours plus intriguée.

– C'est ce qu'essayait de découvrir Nina. La seule chose dont je suis certain, c'est que ces *BOURRASQUES* durent depuis trop longtemps, observa-t-il.

– Que pensez-vous de la disparition de Nina ?

O'Malley releva légèrement son chapeau, et me fixa de ses yeux bleu intense.

– La dernière fois qu'elle a été vue, Nina était en route vers le **rocher** des vieilles ruines. C'est un endroit sinistre : autrefois on racontait que les pierres des ruines s'étaient obscurcies de TRIS-TESSE, après avoir été abandonnées.

– Pourquoi Nina s'y rendait-elle ?

– Elle avait probablement trouvé quelque chose d'important pour sa recherche sur la mythologie irlandaise... mais je ne sais pas précisément quoi.

– Qu'est-ce qui a pu lui arriver ? l'interrogeai-je encore.

– Je l'ignore, mais je sais que Nina a disparu alors qu'elle explorait ces ruines. C'est donc l'endroit dont nous devons partir pour résoudre ce mystère ! O'Malley tira une carte de la poche de sa veste.

— Le rocher se trouve ici, à quelques milles de la côte, indiqua-t-il avec son doigt. Pour l'atteindre, il nous faudra une embarcation, que nous devrons AMARRER solidement. Si la marée l'emportait, nous risquerions de ne plus jamais revenir...

Tout comme Nina !

Je détachai mon regard de la carte, et observai avec appréhension la mer agitée. Un **FRISSON** me parcourut l'échine.

LE ROCHER DES VIEILLES RUINES

Une demi-heure plus tard, je sillonnais les flots en compagnie de l'agent O'Malley, sur un HORS-BORD orné du symbole du département des Sept Roses.

Soyez tranquille !

– Y arriverons-nous avec un tel **VENT** ? demandai-je.

– Soyez tranquille, je suis un **marin** aguerri ! me rassura-t-il en mettant le cap sur le large.

J'étais **inquiète** pour Nina.

– D'après vous, Nina s'est-elle rendue seule sur le rocher des vieilles ruines ?

– Malheureusement oui, acquiesça O'Malley. Je lui avais proposé de l'accompagner, mais elle tenait à y aller **seule**…

Je gardai le silence, pensant que moi aussi j'avais le **DÉFAUT** de vouloir me débrouiller sans aide. Je m'étais si souvent retrouvée dans le pétrin à cause de cette manie ! Et même pour cette MISSION, j'avais décidé de l'accomplir en solitaire, sans demander à l'I.H.I. de m'envoyer quelqu'un pour me seconder. Si seulement les Téa Sisters étaient là…

Absorbée dans ces pensées, je ne m'aperçus pas que nous approchions de l'ÎLOT. Nous y étions presque ! O'Malley indiqua un point sur la côte rocheuse.

– Voyez-vous cette petite anse ? Nous aborderons là. Les rochers nous protégeront du vent.

Quand nous atteignîmes l'île, O'Malley amarra le canot, qui TANGUAIT dangereusement, et en un instant nous fûmes à terre.

Je jetai un coup d'œil aux ruines : où pouvait être Nina ?

Nous rejoignîmes le portail brinquebalant d'un vieux **CHÂTEAU**. Nous le franchîmes et aussitôt un courant d'air **GLACÉ**, provenant de l'intérieur, nous frappa.

Nous échangeâmes un regard entendu et avançâmes silencieusement vers un **hall** immense, au plafond si haut qu'on le distinguait à peine.

– Apparemment, il n'y a rien d'intéressant ici, soupira O'Malley, en *éclairant* avec une torche.

Je jetai un coup d'œil et repérai une ouverture au sol, dans la zone la plus sombre de la salle.

Voilà le château !

– Il doit y avoir un
PASSAGE en dessous !
m'exclamai-je.

Nous nous approchâmes et découvrîmes des marches, qui s'enfonçaient dans les profondeurs de la Terre.

– Vous sentez-vous le courage de descendre ? me demanda O'Malley.

– Allons-y ! répondis-je fermement.

Nous empruntâmes l'escalier, en nous accrochant aux pierres glacées. Au bout d'un moment, nous aperçûmes une **lumière**

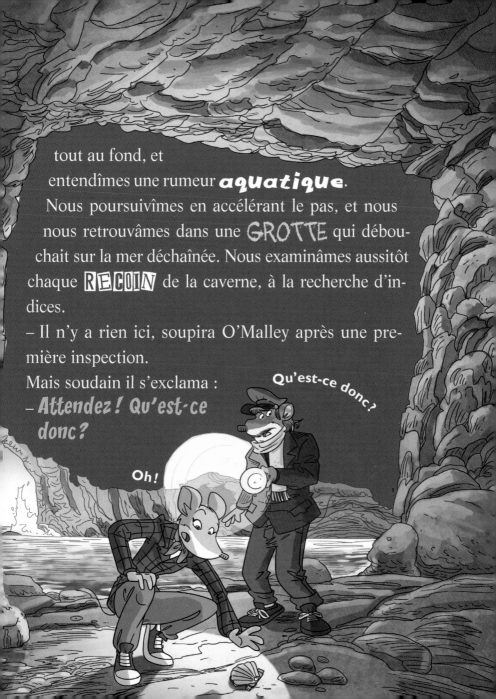

tout au fond, et entendîmes une rumeur **aquatique**.

Nous poursuivîmes en accélérant le pas, et nous nous retrouvâmes dans une GROTTE qui débouchait sur la mer déchaînée. Nous examinâmes aussitôt chaque RECOIN de la caverne, à la recherche d'indices.

– Il n'y a rien ici, soupira O'Malley après une première inspection.

Mais soudain il s'exclama :

– *Attendez ! Qu'est-ce donc ?*

Qu'est-ce donc ?

Oh !

Je me penchai dans la direction qu'il m'indiquait et ramassai une **BARRETTE** à cheveux en forme de coquillage.

– Je la reconnais ! s'écria O'Malley, au comble de l'émotion. Elle appartient à Nina !

Il jeta un coup d'œil circulaire et me dit :

– Si Nina est passée par ici, il se peut qu'il y ait un passage *secret* dans cette caverne... Qui sait, peut-être s'agit-il du mythique « passage vers le monde d'Erin », évoqué dans la mythologie irlandaise ! Erin est le *monde fantastique* où, selon la légende, vivent les personnages des mythes irlandais, poursuivit-il en baissant la voix. C'est une histoire aux confins de la réalité et de l'imaginaire. Aujourd'hui, les gens ne veulent plus y croire...

J'étais *bouleversée*.

– Comment repérer ce passage ?

– Pour le trouver, il faut allumer un **fagot** de bois de genévrier.

À ce moment, je remarquai un tas de branches sèches dans un coin de la caverne. Je m'approchai :

c'était du genévrier ! Immédiatement, je le montrai à O'Malley.

– Nina aussi cherchait le passage secret… commenta-t-il. Elle a certainement apporté ces branches pour faire brûler un fagot !

Il **amassa** le bois par terre et sortit une boîte d'allumettes.

Dès que les flammes s'élevèrent, ce qui advint nous laissa bouche bée. Dans le sol s'ouvrit un ESCALIER, taillé dans la roche, qui se perdait dans les profondeurs obscures.

Le passage existe…

– Ainsi le passage existe bel et bien… murmura O'Malley, incrédule.

Je me penchai légèrement pour mieux voir, et un courant d'air tiède me caressa le visage. Il charriait les notes d'une mystérieuse musique que je n'avais jamais entendue auparavant…

Je lançai un regard à O'Malley, et nous nous comprîmes sur-le-champ : *il fallait descendre !*

– M'accompagnerez-vous ? lui demandai-je.

Il secoua la tête.

– C'est impossible. La légende dit que, si le feu de genévrier s'éteint, le passage DISPARAÎT…

– Et qu'advient-il de celui qui est descendu ?

Le regard d'O'Malley se voila.

– Toujours selon la légende, il demeure pris au PIÈGE pour l'éternité dans le monde fantastique… C'est probablement ce qui est arrivé à Nina !

– Dans ces conditions, je compte sur vous ! m'exclamai-je.

– Une fois votre MISSION terminée, quand vous reviendrez, vous me trouverez ici, à vous attendre.

Je ferai tout pour que les **FLAMMES** perdurent soyez sans crainte.

Nous nous serrâmes la main sans ajouter un mot. Puis je pris une profonde inspiration et m'engageai dans l'escalier qui s'enfonçait dans la nuit...

Je compte sur vous!

Un ascenseur... fantastique!

Je l'ignorais alors, mais tandis que je m'**AVEN-TURAIS** dans l'escalier de roche qui devait me conduire vers le mystérieux monde d'Erin, les Téa Sisters s'apprêtaient, elles aussi, à y pénétrer...
mais par une autre voie !

Après avoir examiné une dernière fois la fissure de la carte d'Erin, dans la salle des Sept Roses, Will s'approcha d'une étrange construction en forme de **ROTONDE**, avec un toit en coupole et une porte de cristal scintillant.

Il sortit son laissez-passer et prononça son nom ; immédiatement, la porte s'ouvrit. Il entra en faisant signe aux Téa Sisters.

– Venez, c'est le portail **secret** qui nous mènera jusqu'au monde d'Erin !

Les cinq amies suivirent Will à l'intérieur, et se

retrouvèrent dans un ascenseur de cristal transparent.

Les portes se refermèrent dans un léger bruissement, et, sur une des parois, s'illumina un clavier semblable à celui d'un piano.

Will en effleura les touches. Un son **mystérieux**,

que les Téa Sisters n'avaient jamais entendu auparavant, RÉSONNA tout autour. Il était indescriptible car il réunissait, en une *vibration* sonore unique, les timbres d'une harpe, d'une flûte et d'un violon.

– Ce clavier a mémorisé les **fréquences** de tous les mondes fantastiques représentés sur les cartes que vous avez pu observer dans la salle des Sept Roses. En les faisant sonner, on atteint les lieux mystérieux où vivent les créatures légendaires.

– C'est donc la MUSIQUE qui permet de voyager dans les mondes fantastiques ! s'exclama Violet.

Will sourit, puis son expression se fit grave.

– Exactement. Et il faut faire très attention, car si on ne joue pas la bonne mélodie, on peut se retrouver dans des mondes INCONNUS et maléfiques, dont il est impossible de revenir…

Les jeunes filles frissonnèrent et échangèrent un REGARD soucieux.

Soudain, aux notes de musique s'ajouta un chœur de voix féminines, qui répétaient un seul mot :

– Erin… Erin… Erin… Erin… Erin… Erin… Erin…

DANS LE MONDE D'ERIN

Le mot « Erin » RÉSONNAIT toujours plus fort, jusqu'à ce que les portes de l'ascenseur de cristal s'ouvrent sur une magnifique **prairie** verdoyante.

– Bienvenue dans le monde d'Erin ! annonça Will.

Bienvenue dans le monde d'Erin !

– **Incroyable !** s'extasia Paulina, fascinée.

– Cet endroit est tout simplement merveilleux ! renchérit Nicky, *contemplant* le paysage qui s'étendait devant elle.

Les herbes étaient agitées par une brise, formant de petites vagues, comme à la surface de la mer. Le **gazouillis** des oiseaux emplissait l'atmosphère d'une douce mélodie.

– **Quelle direction prenons-nous ?** demanda Pam.

Autour des Téa Sisters s'étendaient des prairies à perte de vue.

Paulina eut une idée : elle sortit son SMART-PHONE pour consulter le G.P.S., mais dès qu'elle l'ouvrit, l'appareil émit un BZZZ désagréable, et s'éteignit aussitôt.

Ça ne marche pas !

BZZZ !

– Mon smartphone ne fonctionne pas ! s'exclama-t-elle, déçue.

– Comment faire ? soupira Colette, DÉSORIENTÉE.

– Ne vous en faites pas, intervint Will Mistery. Avant de partir je me suis muni d'un plan du monde d'Erin, établi par le département des Sept Roses !

Il déroula la carte sous les yeux des Téa Sisters.

– Mais comment savoir où nous sommes ? s'inquiéta Violet.

Will regarda le **ciel**. À ce moment une nuée d'hirondelles passa au-dessus d'eux.

– Marchons dans la direction d'où viennent ces **oiseaux**, suggéra-t-il en indiquant un point à l'horizon.

– Pourquoi donc ? s'étonna Paulina.

– Parce qu'étant donné l'heure **MATINALE**, ils sont probablement partis d'une zone boisée où ils ont passé la nuit.

– Et pourquoi chercherions-nous des **ARBRES** ? l'interrogea Pam, perplexe.

– Parce que du haut d'un arbre, nous pourrons voir au loin, et chercher des points de repère qui nous permettront de nous **ORIENTER** et de calculer notre position. De plus, dans un endroit protégé par des arbres, nous tomberons peut-être sur un village pour nous renseigner.

Paulina contempla **WILL** avec admiration. Dès l'instant où elle l'avait vu pour la première fois,

1. Pierres qui parlent
2. Vallée du Désir
3. Village Gourmand
4. Forêt Verte
5. Grotte de la Plainte
6. Marais Gris
7. Forêt Enchantée
8. Champignons violets
9. Portail de Lumière
10. Gorge des Sons
11. Lac Émeraude
12. Forêt des Arbres touffus

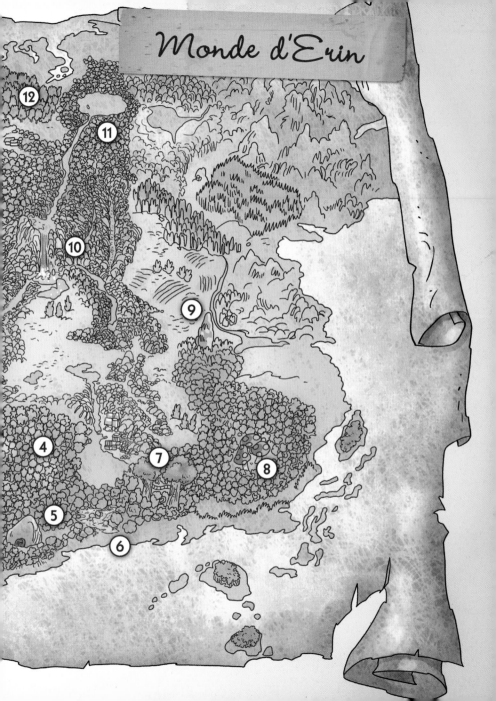

Monde d'Erin

quand il était sorti tout souriant du sous-marin, elle avait senti son **coeur** battre très fort. Et plus elle le connaissait, plus elle le trouvait fascinant…

La voix résolue de Nicky l'arracha à sa **rêverie** :

– Alors, c'est décidé : en route vers les arbres !

Will!

MAUDIT CHEVAL !

Après un bon moment de marche, les Téa Sisters et Will Mistery parvinrent à la lisière d'une véritable forêt. Ils y pénétrèrent et se trouvèrent immergés dans un labyrinthe d'arbres immenses, environnés d'un ÉPAIS sous-bois.

Will menait le groupe et avançait en regardant autour de lui avec circonspection. C'était la première fois qu'il entrait en contact avec le monde d'Erin, et il ne savait à quoi s'attendre.

Soudain, ils atteignirent une clairière, et une **ombre** noire attira leur attention. Ils s'approchèrent et découvrirent un **cheval** au pelage luisant, étendu sur l'herbe. L'animal paraissait profondément endormi.

– Il est superbe, commenta Colette à mi-voix.

– C'est étrange qu'il n'ait pas perçu notre présence, observa Violet.

– Il **dort**, fit remarquer Pam.

Le petit groupe, sous la direction de Will, reprit son chemin, en prenant garde à ne pas réveiller l'animal. Ce n'était pas difficile car le terrain était moelleux, et l'herbe épaisse !

Pourtant, juste au moment où les jeunes filles passaient à côté de lui, le cheval se redressa brusquement et ouvrit les yeux.

– Qui va là ?! lança-t-il.

Il avait une voix légère-
ment grinçante, et de
ses yeux couleur or éma-
naient des reflets lumi-
neux.

Bien sûr que je parle!

– MAIS... MAIS... TU
PARLES ! s'exclama Nicky, éberluée.
L'animal ouvrit la bouche et bâilla à s'en décrocher
les mâchoires.

– Bien sûr que je parle, jeune fille, surtout quand
on perturbe mon sommeil.

– Pardon de t'avoir réveillé, s'excusa Nicky, émue
de discuter avec un cheval.

– Cela arrive souvent… Je veille la nuit et dors le
jour. Je suis un POOKA, expliqua-t-il.

– Pourrais-tu nous dire où nous nous trouvons ?
demanda Colette.

– Dans la FORÊT DES ARBRES TOUFFUS, répondit le
cheval en faisant un signe du museau. Mais que
font ici des étrangers comme vous ?

– Nous sommes en voyage, répliqua Will d'un ton évasif.

Puis il murmura à ses amies :

– Il faut se méfier de certaines créatures qui habitent les mondes fantastiques. Nous devons demeurer en alerte : les apparences sont parfois trompeuses !
Nicky ne pouvait s'empêcher d'admirer cette magnifique monture : elle aurait tellement aimé la chevaucher !

– Et si nous faisions un petit tour ? lui proposa l'animal, comme s'il avait lu dans ses pensées.

Nicky en demeura bouche bée.

– **FAIS ATTENTION !** la mit en garde Paulina.

Mais la jeune fille ne put résister, et se hissa sur la croupe du cheval. Aussitôt le pooka hennit et se lança dans un galop effréné.

– *ARRÊTE-TOI !* lui hurla Nicky.

Mais ce fut en vain. Non seulement il ne freina pas, mais Nicky avait la nette impression qu'il essayait de la désarçonner.

– Je t'en supplie, ralentis ! gémit-elle encore, quand ils évitèrent un arbre d'un cheveu.

Sans tenir aucun compte des prières de Nicky, il poursuivit sa *COURSE* folle, jusqu'à ce qu'il en ait assez et s'arrête brusquement.

Maudit cheval !

Nicky perdit l'équilibre et chuta dans une large flaque **BOUEUSE**.

Le pooka éclata de rire.

– Il n'y a rien de drôle, maudit cheval ! lança-t-elle, furieuse.

Elle tenta de se relever mais glissa de nouveau dans la vase.

Le cheval s'esclaffa de plus belle :

– Tous mes *compliments*, jeune fille. Personne n'a jamais tenu aussi longtemps sur ma croupe !

Tout en se débattant dans la gadoue, Nicky remarqua une ***besace*** que l'animal portait suspendue à son encolure. Un objet en tomba ; c'était un cahier vert, à la couverture élimée et souillée de boue.

– Qu'est-ce que c'est ? demanda Nicky en le ramassant.

– Oh, ça... et bien... bredouilla le pooka, perdant soudain son arrogance. Je l'ai... heu... pris...

aux lutins verts de la gorge des Sons, près du fleuve.

– C'est-à-dire que tu l'as VOLÉ ? s'indigna Pam, qui les avait rejoints avec Will Mistery et les autres.

– Je ne l'ai pas volé, nooon ! J'ai seulement fait une petite farce aux lutins... D'ailleurs, ce cahier ne leur appartenait sûrement pas : ils ne savent pas déchiffrer les signes étranges qui couvrent ces pages ! Ils l'ont certainement pris à quelqu'un d'autre, se défendit le pooka.

Est-ce un journal ?

Hum...

Puis il poussa un hennissement, et s'en alla en bondissant.

– Comme cheval ce pooka est splendide, mais c'est un *goujat* ! commenta Pam en secouant la tête.

Pendant ce temps, Paulina avait ouvert le cahier.

– Est-ce un JOURNAL ? demanda Colette, en se penchant par-dessus l'épaule de son amie qui feuilletait les pages pleines de caractères dont l'ENCRE avait pâli.

– Oui, je dirais qu'il s'agit d'un journal de voyage, dit Paulina, en revenant à la première page.

– «*Mystères d'Erin*», lut Violet. Ces pages nous révéleront peut-être la MENACE qui pèse sur ce monde…

L'INDICE
MYSTÉRIEUX

Quand Will Mistery examina à son tour l'étrange cahier, la surprise le fit **SURSAUTER**.

– Les filles, c'est… le journal de Nina !

– Mais… n'était-elle pas en Irlande quand elle a disparu ?

– Oui, mais elle a dû trouver un moyen d'arriver jusqu'ici ! déduisit Will. Cette *écriture* est la sienne, sans aucun doute.

– Lisez donc ça ! s'exclama Paulina, après avoir jeté un nouveau coup d'œil sur les pages. « Onde-frémissante est très **IRRITÉ**. Le roi d'Erin n'aime pas qu'on se moque de lui. Sa fureur **secoue** le monde d'Erin. »

– Ondefrémissante secoue le monde d'Erin… Voilà donc l'explication de la **FISSURE** sur la carte, dans la salle des Sept Roses ! conclut Will Mistery.

– «Le roi ne s'apaisera que quand son bien lui sera restitué, continua à lire Paulina. Aujourd'hui, j'ai découvert que les coupables du vol sont…»

– Oh non! La page est **ARRACHÉE**! gémit Nicky.

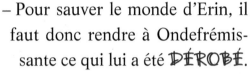

– Pour sauver le monde d'Erin, il faut donc rendre à Ondefrémissante ce qui lui a été **DÉROBÉ**. Mais nous ne savons ni de quoi il s'agit, ni qui est le **voleur**! commenta Colette.

Le seul indice dont ils disposaient, c'était le journal de *Nina*. Ils furent tous d'accord pour se mettre à la recherche de la jeune scientifique. Elle saurait certainement les conduire jusqu'à celui qui avait détroussé Ondefrémissante.

– Allons chez les **lutins verts**, suggéra Paulina. Ils avaient le journal, ils sauront peut-être nous dire où se trouve Nina.

– Très juste! approuva Violet. Le pooka a dit que

les lutins verts vivaient dans la gorge des Sons, près du fleuve.

Will Mistery consulta la carte.

– Si, comme l'a affirmé le pooka, nous sommes dans la forêt des Arbres touffus, la gorge des Sons devrait se situer là-bas, au-delà du *LAC ÉMERAUDE*.

Nicky escalada lestement un gros rocher et scruta l'horizon.

– J'aperçois une étendue d'eau qui brille sous le SOLEIL... Je pense qu'il s'agit du la...

Elle ne put terminer sa phrase : un terrible fracas fit frémir la terre autour d'eux. Le rocher trembla, Nicky **glissa** et tomba.

– Attention ! hurla Colette, tandis que Will bondissait pour rattraper la jeune fille.

– Merci ! fit Nicky en se relevant.

– Je pense que nous devons cette SECOUSSE à Ondefrémissante... Il doit être fou de rage, murmura Paulina. Le monde d'Erin est vraiment en **DANGER** !

Attention, Nicky !

LES FÉES DU LAC

Les Téa Sisters et Will Mistery reprirent leur chemin dans la forêt.

– Espérons qu'Ondefrémissante se tiendra tranquille un petit moment, soupira Pam.

– Oui, mais DÉPÊCHONS-nous tout de même, ajouta Colette. Quelque chose me dit que le temps nous est compté.

Grâce à la carte de Will, le groupe sortit de la forêt. Après une longue marche, ils virent se dessiner les contours du lac Émeraude.

Ils s'arrêtèrent pour contempler ses eaux vertes, resplendissantes comme des pierres précieuses.

– Il faut que nous sachions ce qui a été volé au roi d'Erin et qui est le coupable ! murmura Will, tout en SCRUTANT la surface du lac.

– Tu verras, nous RÉSOUDRONS très vite ce

mystère ! s'exclama Paulina d'un ton encourageant.

Will lui sourit : il appréciait l'optimisme de la jeune étudiante.

Nous le résoudrons !

Leur conversation fut interrompue par Nicky qui s'écria :

– Regardez, il y a une BARQUE !
Nous pourrons traverser le lac et
remonter le fleuve qui mène à la
gorge des Sons.

Ils se rapprochèrent de la berge,
où une extraordinaire sensation de quiétude les
enveloppa. Un chant suave s'éleva dans les airs ;
ils n'en avaient jamais entendu d'aussi doux.

– Quelle merveilleuse mélodie ! commenta Violet,
hypnotisée.

Sous l'emprise de la musique, elle avança vers les
EAUX du lac, comme pour y plonger.

Colette la rattrapa par le bras.

– *Attention, Vivi !*

À cet instant, des rides se formèrent à la surface, et
trois sublimes créatures émergèrent des flots.

La première avait de longs cheveux couleur blé, la deuxième, une épaisse chevelure aux reflets bruns comme les feuilles d'**AUTOMNE**, et de splendides boucles rouge *FEU* encadraient le visage de la troisième.

Un secret
bien gardé

Les trois jeunes filles étaient d'une beauté exceptionnelle. Elles portaient des couronnes de **fleurs** dans les cheveux, et leurs visages resplendissaient dans les reflets du lac. Leurs yeux, à la fois scintillants et sévères, se posèrent sur les Téa Sisters et Will Mistery.

– *Quelles magnifiques créatures !* s'extasia Colette.

J'ai trouvé !

– C'est vrai, mais nous devons savoir qui elles sont, et si nous pouvons leur faire confiance, ajouta aussitôt Nicky, se souvenant de sa mésaventure avec le pooka.

Paulina FEUILLETA le journal de Nina, en quête d'informations.

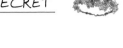

– Voilà ! J'ai trouvé quelque chose d'INTÉRESSANT... Il est écrit que, dans le lac Émeraude, vivent trois *fées* qui gardent des secrets...

Will prit le journal et, après en avoir lu quelques pages, relata :

– Nina a découvert que, pour traverser le lac, il faut résoudre les **énigmes** des fées. Elles font confiance à ceux qui y parviennent, et leur livrent un de leurs précieux secrets.

– As-tu dit « énigmes » ? releva Pam. Quelle étrange idée ! Peut-être serait-il préférable de chercher une autre voie pour atteindre la gorge des Sons.

– C'est impossible, nous devons **PASSER** par là, objecta Will.

– Alors, il n'y a pas de temps à perdre, conclut Colette.

Puis, d'une voix **PUISSANTE** et résolue, elle s'adressa aux créatures :

– Bonjour ! Pouvons-nous traverser le lac ?

Les fées du lac gardèrent le silence. Elles ne manifestèrent même pas si elles avaient saisi les mots de Colette.

– Peut-être qu'elles ne parlent pas notre langue, **hasarda** Nicky.

– Au contraire, elles ont parfaitement compris, répliqua Will en fixant leurs regards ardents.

Quelques instants plus tard, la fée aux cheveux bruns prit la parole :

– Qui de ces berges s'est approché, rien ne pourra **demander** ! Seul celui qui nos énigmes aura percées, d'ici pourra s'en **aller**.

De prime abord, les Téa Sisters et Will ne surent

pas comment interpréter ces paroles. Quand ils en comprirent la signification, il était trop **TARD** !

Paulina voulut faire un pas, mais elle s'aperçut que ses pieds étaient **CLOUÉS** au sol !

– Je ne peux plus bouger ! cria-t-elle.

– Moi non plus ! lui fit écho Nicky.

– ***Qu'est-ce que vous nous avez fait ?*** s'indignèrent en chœur Pam et Violet.

– Qui tente de passer… ne le pourra, sans d'abord **ÉCOUTER**, chantonna la fée aux cheveux roux.

– Et seule son **INGÉNIOSITÉ** le fera triompher, ajouta la fée blonde.

– L'attente durera une **année**, sans réponse aux énigmes posées, conclut la fée brune.

– Nous répondrons ! assura Will Mistery.

– Très bien ! commenta la fée blonde. Voici la **première** énigme…

À ce moment un souffle de **VENT** rida les eaux du lac, et l'on vit s'écrire sur les flots :

Ils sont nombreux
et éternels.
On peut les voir durant l'hiver.
Du haut du ciel ils apparaissent,
et le froid prend,
qui les caresse...

Les Téa Sisters et Will se concentrèrent. Soudain, le visage de Nicky s'illumina.

– Je pense qu'il s'agit de la NEIGE !

Les six amis lancèrent un regard plein d'espoir vers les fées, mais celles-ci secouèrent la tête.

– Je voulais dire des FLOCONS DE NEIGE, précisa Nicky.

– C'EST JUSTE, reconnut de mauvaise grâce la fée blonde.

– Voici la deuxième énigme, intervint la fée brune.

De nouveau, sous l'effet du VENT, l'eau du lac se troubla, et un texte demeura inscrit à la surface :

Vif ou lent, il descend, et jamais ne montera. En son lit, il ne dort pas. Il naît dans les hautes terres et meurt en bord de mer...

— Celle-là me semble plus difficile, marmonna Pam.

— Qui va vers le bas, et jamais vers le haut ? Qui possède un lit dans lequel il ne dort pas ? s'interrogea Paulina.

— Il naît en hauteur et meurt dans la mer... J'ai trouvé, c'est un FLEUVE ! triompha Colette.

— Réponse correcte, concéda la fée brune, dépitée.

— Bravo ! s'exclamèrent en chœur les Téa Sisters, qui auraient bien voulu embrasser leur amie.

— Voici la troisième énigme, dit sèchement la fée aux cheveux roux.

Pour la troisième fois, le **VENT** écrivit quelques mots sur les flots :

Elle va, elle vient, elle se répand. Si elle te manque, tu souffriras, mais si elle gronde, prends garde à toi !

Les Téa Sisters échangèrent des regards perplexes, mais Will répondit sans hésiter :
– C'est l'**eau** !

– Réponse **JUSTE**, soupira la fée aux cheveux roux.

– Fantastique ! Bravo, Will ! exulta Paulina.

– Grâce à votre sagacité, à nos rébus vous avez répondu. Il nous incombe à présent d'honorer nos engagements. Libres, vous partirez, avec un nouveau **secret**, déclara la fée brune.

Puis ses consœurs s'unirent à elle, pour chanter en chœur :

– Si du chambardement
Tu cherches la raison,
Ne sonde ni les airs, ni les mers,
Ni même les tréfonds du ventre de la terre
Mais bien les profondeurs d'un cœur en colère !

Une fois leur précieux secret révélé, les trois fées disparurent dans les eaux, laissant à la surface une longue série de **CERCLES** concentriques.

– Je peux enfin bouger ! se réjouit Colette en déplaçant son pied.

Les Téa Sisters s'embrassèrent joyeusement.

– Avez-vous compris le **SENS** de ce qu'elles nous ont confié ? demanda Paulina.

– En fait de secret, cela ressemble plutôt à une nouvelle énigme, observa Pam. Peut-être que ça nous servira dans nos recherches…

– Mais de quel chambardement parlaient-elles ? Et

Quelle aventure !

que signifie «les profondeurs d'un **cœur** en colère»? réfléchit Nicky, embarrassée.

– En tout cas, nous sommes libres! intervint Will, en défaisant les **AMARRES** de la barque.

Le groupe monta à bord, et Will se mit à ramer. D'après la carte, ils devaient traverser le lac et **POURSUIVRE** sur le fleuve, jusqu'à la gorge des Sons.

Au bout de quelques minutes, Paulina prit la parole :

– Les fées semblaient très **TRISTES**, quand elles se sont enfoncées dans les eaux… Qu'en pensez-vous?

– Je l'ai remarqué, dit Nicky.

– Qui sait, peut-être se sentent-elles un peu **seules** au fond du lac? supposa Colette.

Les Téa Sisters lancèrent un regard sur les flots couleur émeraude. Toutes pensaient que l'**ARROGANCE** des trois fées dissimulait sans doute un profond sentiment de solitude. Au fond de leur cœur, les créatures auraient sûrement souhaité posséder de vraies **amies**…

PRISONNIERS !

Après avoir traversé le lac Émeraude, les Téa Sisters et Will Mistery
descendirent le fleuve en BARQUE.
Bien vite, ils entendirent une RUMEUR
sourde, qui s'amplifiait au fur et à mesure
qu'ils progressaient. Le COURANT se fit plus
rapide.
– Nous approchons d'une chute !
comprit Will. Mieux vaut
débarquer et conti-
nuer à pied !

Ils accostèrent et tirèrent la barque sur la rive. Puis ils poursuivirent leur avancée en longeant le fleuve. Bientôt, ils atteignirent le point où les eaux se précipitaient dans le vide, en une **cas-cade** bouillonnante. Le fleuve se pulvérisait sur les rochers en une myriade d'éclats couleur arc-en-ciel, avant de reprendre son cours dans un étroit goulot, enserré par deux **PAROIS** rocheuses.

– Voici la gorge des Sons ! s'exclama Paulina, en montrant les roches creusées par les eaux cris-tallines du fleuve.

– Trouverons-nous les lutins verts au fond du canyon ? demanda Violet.

– C'est ce qu'a prétendu le pooka ! rappela Colette. Bientôt nous saurons si cette étrange créature a dit la **vérité**.

– Je crois que c'est le sentier qui rejoint la **vallée**, dit Nicky en désignant un petit chemin qui serpentait parmi les rochers.

Attention !

Suivez-moi !

– En route ! lança Will.
En FILE INDIENNE, les filles
descendirent avec pré-
caution. Par endroits,
le chemin devenait
escarpé, mais Will les
conduisait d'un pas sûr.
Quand ils atteignirent
le fond du canyon, il
s'approcha du fleuve et
y plongea sa main.
– L'eau d'Erin est LIM-
PIDE comme...
La fin de sa phrase fut
couverte par un énorme
FRACAS.
Avant qu'ils puissent réagir, Will et les Téa Sisters
furent assaillis par une

horde de créatures aux oreilles pointues, qui les encerclèrent, puis les ligotèrent avec de longues CORDES.

ILS ÉTAIENT PRISONNIERS!

DANS LA GORGE DES SONS

Autour des Téa Sisters et de Will Mistery, les créatures qui les avaient CAPTURÉS s'affairaient frénétiquement, se dépêchant de resserrer les cordes et de planter de nouveaux piquets.

Les filles essayaient par tous les moyens de se libérer, mais leurs LIENS étaient trop étroits.

Vous êtes nos prisonniers!

– Aïe ! Vous me tirez les cheveux ! gémit Colette.

Tandis que Pam tentait encore de se défendre, Paulina et Nicky étaient déjà immobilisées à terre, et regardaient autour d'elles à la recherche d'une solution.

– Qui êtes-vous ? s'écria Will, bloqué par les cordes.

Les étranges créatures s'exclamèrent à l'unisson :

– Nous sommes les gobelins des sons, et vous êtes sur nos terres !

– Laissez-nous partir ! hurla Colette.

– Vous voulez vous emparer de notre **mine**, mais vous n'y parviendrez jamais ! déclarèrent-ils en chœur.

– Nous ne savions même pas qu'il y avait une mine. Nous ne faisons que passer, répliqua Paulina.

– Nous ne vous croyons pas.

– C'est la vérité. Nous ne vous voulons pas de **mal** !

À ces mots, les gobelins s'éloignèrent pour discuter entre eux.

Quand ils revinrent vers les prisonniers, leur attitude semblait moins hostile. Mais avant qu'ils puissent exposer leurs **intentions**, un bruit résonna qui indiquait que quelque chose ou quelqu'un approchait. Cela ressemblait au son de nombreuses **clochettes**, superposé à un jacassement très intense.

Entendant cela, les gobelins s'affolèrent, et en

moins de temps qu'il ne faut pour le dire, ils s'ÉVANOUIRENT dans le néant.

Will Mistery et les Téa Sisters ignoraient pourquoi les gobelins s'étaient enfuis, mais une chose était sûre : ils étaient de nouveau en **DANGER** !

Tandis qu'ils regardaient autour d'eux avec appréhension, sur les eaux du fleuve apparut un groupe de pirogues transportant de *drôles* de petits êtres verts.

Le premier qui toucha terre exécuta deux cabrioles, puis rajusta sa tunique et se dirigea vers les prison-

Hé, hé, hé !

Dépêchons-nous !

Qui êtes-vous ?

niers. Il fut suivi par ses compagnons dans un grand tintamarre de clochettes.

– Il n'y a pas à dire, c'est du beau travail, lâcha-t-il en sortant un COUTEAU de sa poche.

Colette essaya vainement de dégager une main pour se défendre.

– Qu'allez-vous faire ? Je vous préviens, si jamais vous abîmez mes vêtements...

Les nouveaux arrivants échangèrent des coups d'œil
PERPLEXES. L'un d'eux haussa les épaules, aussitôt
imité par les autres.

– Au travail, ordonna le premier.

Et il entreprit de trancher les cordes qui ligotaient
les Téa Sisters et Will Mistery.

Bientôt tous les prisonniers furent libérés.

– Vous nous avez sauvés, les remercia Will.

Puis il aida les filles à se relever.

– MERCI! NON SEULEMENT VOUS M'AVEZ DÉLIVRÉE,

Debout, Colette!

Merci! Vous avez été formidables!

Hé, hé, hé!

Hi, hi, hi!

MaiS SURTouT vous n'avez pas aBîMé Mon CHeMiSieR! lança Colette, pleine de gratitude, à l'attention des deux petits êtres verts qui étaient demeurés près d'elle.

– De rien. Ces gobelins deviennent de plus en plus impudents. Ils essayent en permanence de pénétrer sur le territoire des lutins verts, c'est-à-dire le nôtre...

– Êtes-vous les **lutins verts**? s'exclama Paulina, rayonnante.

– Bien sûr! Nous vivons dans ce canyon, la gorge des Sons. Les gobelins sont nos voisins. Ils habitent en lisière de la forêt, tandis que nous vivons sur les berges du fleuve. Aujourd'hui, ils ont **envahi** notre territoire, et se sont permis de pêcher dans le fleuve. Nous sommes venus les mettre en garde, c'est ainsi que nous sommes tombés sur vous! expliqua un lutin.

– Nous sommes *ravis* de vous avoir rencontrés, non seulement parce que vous nous avez sauvés, mais aussi parce nous vous cherchions! Nous aurions besoin d'informations sur ce cahier, dit Paulina en lui montrant le *journal* de Nina.

– Ah, c'est vous qui l'avez, à présent ? Il nous a été offert par une fée du Oui, en échange d'un sac de pommes de terre ! s'exclama le lutin.

– D'un sac de **pommes de terre** ? répéta Violet.

– Oui, les patates cultivées par les lutins sont les meilleures qui soient ! Et comme les fées du Oui sont d'excellentes **cuisinières**, elles sont toujours à la recherche de produits frais pour concocter leurs délicieux festins, expliqua le petit bonhomme.

– On dit qu'elles sont les plus extraordinaires cuisinières du monde d'Erin ! renchérit un autre.

– Pourriez-vous nous révéler où habitent les FÉES DU OUI ? dit Colette.

– Nous pouvons faire mieux : nous allons vous accompagner chez elles ! proposa le premier lutin.

Ses compagnons le regardèrent et, tout excités, se mirent à poser des rafales de **questions** :

– Vraiment ?

– Ils viendront avec nous ?

– Ils nous suivront pour de vrai ?

– Bien sûr ! assura le lutin. Qui mieux que nous connaît ces terres ?

– Ce serait très aimable à vous, fit Will Mistery.

Ce que Will ignorait c'était que les lutins adoraient servir de GUIDES, mais qu'ils étaient célèbres dans le monde d'Erin pour se perdre très souvent en route... Ils étaient dénués du moindre sens de l'orientation !

– Alors c'est décidé, confirma le lutin qui avait émis la proposition.

Et tous se mirent en MARCHE.

Nous allons vous accompagner chez les fées du Oui !

SOMMES-NOUS PERDUS?

Sous la conduite des lutins verts, les Téa Sisters et Will Mistery cheminaient déjà depuis plusieurs heures.

– Il me semble que j'ai déjà vu ce rocher, remarqua Colette.

– Ainsi que ces trois PLANTES entrecroisées ! ajouta Nicky.

– Ah oui… Nous aurions peut-être dû tourner à GAUCHE à la dernière bifurcation, ou bien continuer tout droit quand nous avons viré à DROITE, ou bien… hésita le lutin en tête du groupe.

– VEUX-TU DIRE QUE NOUS SOMMES PERDUS?

s'inquiéta Pam. Tu nous as garanti que tu connaissais très bien cette région !

– Bien sûr, nous sommes des guides hors pair ! se défendit le lutin. Parfois, nous nous **trompons** un peu, voilà tout.

– Savez-vous *vraiment* où vivent les fées du Oui ? insista Pam.

– **Évidemment**, ou plutôt… nous pensions que l'itinéraire nous reviendrait à l'esprit en marchant ! expliqua un autre lutin.

Où habitent les fées du Oui ?

Les Téa Sisters en demeurèrent interdites.

– Qu'allons-nous faire ? **gémit** Paulina.

Ils étaient perdus au plus profond de la forêt.

Will observa le **ciel** au-delà des cimes des arbres.

– Quelque chose flotte en l'air, fit-il remarquer.

Tous levèrent les yeux.

– De la **FUMÉE** ! s'exclama Violet. Il y a peut-être un village là-bas.

– Ou bien une maison, ajouta Nicky.

– Nous devrions suivre cette fumée. Peut-être trouverons-nous quelqu'un qui pourra nous renseigner, conclut Paulina.

– **BONNE IDÉE !** approuva Will en adressant un grand sourire à son amie.

Les lutins acquiescèrent avec enthousiasme, soulagés de ne plus devoir indiquer la route. Tout joyeux et **sautillants,** ils se remirent en marche, avec leur clochette autour du cou, en chantonnant et en sifflotant.

Paulina les observait, et ne pouvait s'empêcher de sourire. Ils avaient déjà rencontré tant de personnages incroyables dans ce monde fantastique !

Et combien en croiseraient-ils encore…

– Tu sembles très absorbée, nota Will, interrompant le cours de ses réflexions.

– Je pensais à notre mission… Ce monde est plein de **créatures** mystérieuses. Il suit une logique qui souvent m'échappe. Parviendrons-nous à retrouver Nina et à calmer la colère d'Ondefrémissante ?

– Nous réussirons, ne t'inquiète pas, la rassura Will en posant une main sur son épaule.

Paulina sourit : Will avait le don de la *tranquilliser* en toute situation… C'était un véritable ami !

Le groupe poursuivit son chemin. Soudain ils aperçurent plusieurs végétaux qui ressemblaient à des palmiers, d'où pendaient des **fruits** rouges.

– Des palmiers, ici ? s'étonna Colette. Comme c'est étrange !

– Il fait assez CHAUD, fit observer Violet.

– Cela pourrait expliquer la présence des palmiers, suggéra Colette.

– N'oubliez pas qu'ici, la NATURE suit des lois qui nous sont étrangères, rappela Will. Nous nous trouvons dans un monde fantastique !

– PAR MILLE BIELLES EMBIELLÉES ! C'EST VRAIMENT LE CAS DE LE DIRE !

Regardez donc là-bas ! s'exclama Pam, qui précédait ses amis de quelques mètres.

La jeune fille *montrait* quelque chose au-delà des palmiers… quelque chose d'absolument inouï.

QUEL DÉLICE !

– Mille millions de pistons grippés ! C'est un véritable **banquet** ! s'émerveilla Pam, les yeux écarquillés de surprise.

– Ce n'est qu'une table dressée, tempéra Nicky.

– Oui, mais de quelle manière ! souligna Colette, en admirant l'élégance des *CHANDELIERS*, des carafes,

des verres et de la vaisselle. J'aimerais bien examiner tout cela de plus près.

– Il s'agit peut-être de la demeure des fées du Oui ? hasarda Paulina en s'adressant aux lutins.

Mais quand elle se retourna, elle s'aperçut qu'ils n'étaient plus là.

– Où sont-ils donc passés ?

– Se seraient-ils encore perdus ? se demanda Colette.

– INCROYABLE ! s'exclama Paulina.

– Aucun d'entre nous ne s'en est rendu compte, fit remarquer Nicky, en se grattant la tête. Peut-être ont-ils des ENNUIS...

– Espérons que non. Comme guides, ils sont désastreux, mais au fond je les trouve plutôt sympathiques, dit Colette.

– Mieux vaut d'abord s'assurer que les fées du Oui habitent bien ici, intervint Will en regardant le ciel. L'APRÈS-MIDI était déjà bien avancé, et d'ici quelques heures, la lumière commencerait à baisser. Ils se dirigèrent donc vers les maisonnettes qui se trouvaient autour de la table.

Le silence qui les environnait fut brusquement rompu par le **GARGOUILLIS** de l'estomac de Pam.

– Pardon… mais cette table de banquet m'a réveillé l'**APPÉTIT** ! bredouilla la jeune fille.

Pour la première fois depuis qu'ils étaient entrés dans le monde d'Erin, tous rirent de bon cœur.

De la **FUMÉE** s'échappait des cheminées des maisons : elles étaient donc habitées.

– Que faisons-nous ? demanda Paulina.

– Frappons à la porte ! suggéra Colette en s'approchant d'une des bâtisses.

Toutefois, avant de s'exécuter, elle en examina les murs et sursauta.

– Ces habitations sont bâties en terre cuite ! Elles ressemblent à de grands **vases**…

– Admirez ces décorations ! Il s'agit certainement de la demeure d'un artiste, commenta Violet, en montrant les **fleurs** et les **feuillages** tressés qui embellissaient les portes et les fenêtres.

Pam s'approcha d'une autre maison.

L'endroit dégageait des **parfums** exquis : pains juste

sortis du four, soupes de légumes, beignets et tartes.

Un véritable délice !

Colette frappa à la porte. Jusque-là, les Téa Sisters avaient rencontré des créatures fantastiques d'apparences étranges et inattendues.

Cette fois, elles se retrouvèrent devant une petite **dame** au visage pétillant, avec des traces de farine sur les habits.

– *Bonjour, jeune fille*, lança-t-elle à Colette avec un large sourire.

Remarquant que celle-ci l'observait avec étonnement, elle rajusta son tablier et épousseta la farine.

– Pardon, je ne suis pas très présentable. C'est **SALISSANT** de faire la cuisine !

– Je vous en prie ! C'est moi qui m'excuse de vous déranger.

– Vous ne me **DÉRANGEZ** pas du tout ! répliqua la petite dame.

Puis elle jeta un coup d'œil derrière Colette.

– Je vois que tu n'es pas seule.

– Oui, ce sont mes **amis** : Pam, Nicky, Violet, Paulina et Will.

Bonjour, jeune fille !

– Quels jolis prénoms… Moi, je suis une fée du Oui.
À ce moment, les autres fées sortirent de leurs maisonnettes. Elles étaient dix : toutes souriaient et
tenaient un ustensile de cuisine.

– **BIENVENUE !** s'exclamèrent-elles en chœur.
Installez-vous à table, vous êtes nos invités !

Bon appétit !

Pam ne se le fit pas dire deux fois : elle avisa une chaise et s'installa à TABLE.

Ses amis remercièrent les fées pour leur invitation puis suivirent son exemple.

– Avez-vous accueilli d'autres **invités** récemment ? demanda Pam à la première fée.

Celle-ci lui jeta un coup d'œil méfiant.

– Hum… oui, une jeune fille, lâcha-t-elle, évasive.

Est-elle encore ici ? hasarda Paulina.

– Elle n'est plus là, répondirent en chœur les fées.

– Est-ce que par hasard… elle avait **ceci ?** les interrogea Nicky, en montrant le journal de Nina.

Est-ce que par hasard… elle avait ceci ?

– C'est possible, répliqua une fée, avec un sourire ÉNIGMATIQUE.

– Quand est-elle passée ? insista Nicky.

– Je ne saurais dire. Ici nous n'avons pas la notion du temps : il passe, voilà tout. Comme cette jeune fille qui est passée... soupira la première fée avec une nuance de TRISTESSE dans la voix.

– Oui, malheureusement elle n'est pas restée à notre dîner, précisa la seconde fée. Mais vous, vous y resterez, ajouta-t-elle sur un ton soudain MENAÇANT.

– Comment ? Il n'est pas question que nous demeurions ici, répliqua fermement Colette, qui éprouva alors une grande envie de quitter la table.

Elle tenta de se **lever** de sa chaise, mais quelque chose l'en empêcha.

L'une après l'autre, les Téa Sisters essayèrent de se mettre debout, mais aucune n'y parvint.

Une **FORCE** invisibile les contraignait à demeurer assises.

Elles étaient victimes d'un enchantement jeté par les fées !

Il en était de même pour Will Mistery, qui s'exclama, inquiet :

– **NOUS SOMMES COLLÉS À NOS CHAISES !**

– Quel sortilège nous avez-vous lancé ? protesta Pam.

– Ignorez-vous qu'il est **IMPOLI** de se lever de table avant que le dîner soit servi ? ironisa une troisième

fée. Vous mangerez tout ce que nous avons cui-siné, et tout ce que nous cuisinerons pour vous. Nous avons des provisions pour **cent ans** !

– Oh, non ! gémit Paulina. Elles ne nous laisseront plus jamais partir. Il faut trouver le moyen de nous ÉCHAPPER !

UNE MYSTÉRIEUSE MUSIQUE

J'ignorais encore que les Téa Sisters et Will Mistery se trouvaient dans le *monde d'Erin*. De mon côté, j'avais commencé à l'explorer.

Tout avait débuté quand j'avais descendu les marches taillées dans la pierre de l'escalier qui, comme par enchantement, s'était ouvert dans la **grotte** du rocher des vieilles ruines.

Durant la descente, j'entendais de plus en plus distinctement une mystérieuse *musique*, qui semblait m'appeler des profondeurs de la Terre…

Les marches s'enfonçaient en **colimaçon** dans une spirale qui paraissait sans fin.

La torche dont je m'étais munie faiblissait ; elle s'éteindrait probablement d'ici peu. Je commençais à m'inquiéter : aurais-je assez de lumière pour atteindre le bas de l'escalier ?

Enfin, l'atmosphère commença à s'éclaircir : soudain, la musique cessa, et j'entrevis une pâle lueur au loin. J'étais très curieuse de savoir ce qui m'attendait, et anxieuse de résoudre le mystère de la DISPARI-TION de Nina.

– Tout phénomène possède son explication, dis-je à haute voix en posant le pied sur la dernière marche. Je compris que j'étais dans une grotte et je pris la direction de la lumière, où j'espérais trouver la SORTIE.

Je fis un dernier pas et m'immobilisai : je n'en croyais pas mes yeux.

Devant moi se dressait un véritable portail lumineux qui resplendissait de mille reflets et m'empêchait de distinguer ce qui se trouvait au-delà. Je pris une profonde inspiration, fermai les yeux, et franchis le seuil : j'ignorais encore où cela me conduirait, mais à ce point du voyage, il n'était certainement pas question de renoncer !

Quand je rouvris les YEUX, j'en demeurai bouche bée : là, dans les profondeurs de la Terre, s'étendait

une merveilleuse FORÊT, qui exhalait un intense parfum printanier.

De sympathiques ANIMAUX et insectes aux couleurs vives s'égayaient dans cette surprenante nature souterraine…

J'étais parvenue dans le monde d'Erin !

UN DRÔLE
DE GUIDE

Je regardai autour de moi pour décider dans quelle direction m'orienter.

Je n'avais pas de carte. Sans rien qui puisse me guider, je devais me fier à mon INTUITION.

En me concentrant, j'entendis un bruit dans le lointain : des coups cadencés comme ceux d'un **marteau**. Qui pouvait donc se servir d'un marteau au beau milieu de la forêt ?

Il fallait que j'en aie le cœur net, et je m'aventurai le long d'un sentier vers l'endroit d'où le bruit semblait venir.

Je cheminai lentement, prudemment : qui habitait cet endroit mystérieux ?

Autour de moi, les arbres étaient si hauts que je voyais à peine la couleur du ciel. Mais au fur et à

mesure que j'avançais, la *lumière* qui
filtrait à travers les feuillages se faisait
plus intense.

Attentive à chaque mouvement, je suivis le
MARTÈLEMENT, qui devenait plus proche.
Soudain, dans cette végétation luxuriante,
j'aperçus quelque chose d'INSOLITE...

C'était le chapeau d'un **CHAMPIGNON**, mais il sortait vraiment de l'ordinaire. Il était énorme et violet… De ma vie, je n'avais rien vu de semblable ! Les 𝒸𝑜𝓊𝓅𝓈 de marteau venaient de là.

Quand je m'approchai, je demeurai sidérée. J'étais dans une forêt de champignons géants !

Sur une pierre, je vis un petit homme occupé à frapper le talon d'un **soulier** avec un marteau.

Il s'aperçut tout de suite de ma présence ; il darda sur moi deux petits **YEUX** perçants comme des épingles. Puis, il recommença à marteler sans plus se préoccuper de moi.

Je m'éclaircis la gorge et me présentai :

– Bonjour, je m'appelle Téa Stilton. Je voulais vous demander si…

Il m'interrompit en s'exclamant :

– **BONJOUR, BELLE DAME !**

Je me sentais un peu confuse, mais je répliquai :

– Bonjour, à qui ai-je le plaisir de parler ?

– Comment ? Tu ne le vois pas ? Je suis un LEPRECHAUN, un **LUTIN CORDONNIER** ! Que puis-je faire pour toi ?

– Je suis en quête d'une jeune fille nommée Nina. L'aurais-tu vue, ou en aurais-tu entendu parler ?

– Non, non. Pas du tout. Puis-je faire autre chose ?

– Pourrais-tu m'**indiquer** la direction du village le plus proche ?

– Je peux faire beaucoup mieux ! Je vais t'y accompagner ! répondit-il.

Il enfila sa chaussure, rangea son marteau dans sa **besace**, et se mit en marche en me faisant signe de le suivre.

Allons-y !

LES GNOMES DE LA FORÊT ENCHANTÉE

Je suivais le leprechaun de la forêt Enchantée, quand une forte SECOUSSE fit trembler le sol.

– AU SECOURS, AU SECOURS ! IL EST DE NOUVEAU FOU DE RAGE !

Je fis volte-face pour voir qui était en colère, mais je ne vis personne. Et quand je me retournai, je m'aperçus que mon guide avait DISPARU. Le leprechaun avait-il eu peur d'Ondefrémissante, le roi dont m'avait parlé O'Malley ?

Il ne me restait plus qu'à continuer toute seule. Le village ne devait plus être loin. Pourtant, il n'y avait aucune maison à l'HORIZON, ni personne auprès de qui je puisse m'informer.

Je me mis à scruter le sol, et remarquai quelques traces : elles étaient si menues, qu'à première vue, je pensai à un petit animal de la forêt. Puis en examinant mieux, je m'aperçus qu'elles avaient la forme de CHAUSSURES, et non de pattes. Qui pouvait avoir d'aussi petits pieds ? Je décidai alors de suivre la piste de ces **EMPREINTES**.

De temps en temps elles disparaissaient, pour réapparaître plus loin, et je continuai ma quête avec confiance…

Peut-être me mèneraient-elles vers quelqu'un qui pourrait m'aider à retrouver Nina. Et c'est ce qui se produisit !

Au bout d'un moment, je tombai sur un grand **arbre**. En parcourant le tronc des yeux, je m'aperçus qu'une petite **porte** s'ouvrait dans la souche. Vif comme un battement d'ailes, un minuscule être apparut sur le seuil. Dès qu'il me vit, il fit demi-tour et disparut dans le tronc, l'air ÉPOUVANTÉ.

Je m'approchai et frappai délicatement à l'huis. Peu après le petit **être** refit surface : il m'arrivait à peine aux genoux.

Son minuscule visage était encadré d'une barbe grise ; il portait un **chapeau** rouge et de drôles de bottes.

Il avança d'un pas hésitant, et m'observa, intrigué.

– Bonjour, le saluai-je.

Il me fit un petit signe de la tête.

– Bonjour à toi. Dis-moi vite ce que tu veux, car j'ai beaucoup de travail. Énormément de travail ! Nous, les **GNOMES**, sommes un peuple **industrieux** !

À ce moment, d'autres petites créatures surgirent des arbres alentour et s'approchèrent.

– Pourriez-vous m'aider ? dis-je en m'asseyant sur une pierre, afin de mettre les gnomes à l'aise. Je cherche une *jeune fille*.

– Une jeune fille ? Veux-tu dire une fée ?

– Non, pas une fée. Une jeune fille comme moi, rectifiai-je. Je crains qu'il lui soit arrivé quelque chose, cela fait longtemps que je n'ai pas eu de ses nouvelles…

– *La pauvre*, soupira le gnome. Je regrette, mais je ne sais rien.

– Alors tu pourrais peut-être m'aider d'une autre manière. Quelle est la raison de la colère d'Onde-frémissante, le roi d'Erin ?

– Si seulement je la connaissais ! À cause de lui, le **VENT** détruit nos récoltes. Chaque fois nous devons tout recommencer de zéro !

Les autres gnomes ne purent pas non plus me renseigner.

– Je dois me remettre au travail, s'exclama mon petit interlocuteur.

– Maintenant, ça me revient, intervint une gnome aux yeux vifs et rieurs. Une jeune fille est bien passée par ici.

– *COMMENT LE SAIS-TU ?* s'étonna le gnome.

– Parce que je l'ai vue. Elle portait un cahier et… ceci, ajouta-t-elle en me montrant un **STYLO** noir. Le signe gravé sur le capuchon ne laissait aucun doute : le symbole des *Sept Roses* ! Ce stylo appartenait à Nina !

– Quand l'as-tu aperçue ? Et où se rendait-elle ? lui demandai-je.

Moi je l'ai vue!

Humm...

– Un matin, elle est partie avec les gardiens des trésors… Ce sont des lutins **avides**, qui ne pensent qu'à accumuler de l'argent.

– Où puis-je les trouver ?

– Ils vivent quelque part dans le marais Gris. Ils se chargeront de te trouver ! répondit la gnome, avec un sourire triste.

– Ils ne laissent jamais échapper un étranger qui pourrait avoir un peu d'or sur lui ! m'avertit un autre gnome.

Avant de prendre congé, je demandai à la gnome :

– J'ai besoin de ce stylo. Aurais-tu la gentillesse de me le confier ?

Il s'agissait d'un **indice** important, et j'étais certaine qu'il me serait utile de montrer le signe des Sept Roses, si jamais je rencontrais quelqu'un qui avait retrouvé des **objets** portant le même symbole.

Ces petites créatures me regardèrent de travers.

– Cet objet est à **MOI**... protesta la gnome, en le serrant sur sa poitrine.

– En échange, je peux t'offrir ceci, proposai-je en lui tendant ma **torche**.

Elle observa ma lampe électrique d'un air **méfiant**. Alors je l'allumai et l'éteignis : par chance, elle s'était remise à fonctionner.

La **démonstration** parvint à convaincre la gnome. Elle me prit la torche des mains, et me tendit le stylo de Nina.

– Le marais Gris est par là, m'indiqua-t-on alors. Je m'apprêtais à les **remercier**, mais ils avaient déjà tous disparu dans leurs logis. Je me remis en marche, me demandant ce qui m'attendait dans le marais.

LES GARDIENS DES TRÉSORS

Le marais était constitué d'un labyrinthe de **MARES** boueuses, séparées par une végétation dense de plantes qui plongeaient leurs racines dans l'eau. Dans l'air flottait une odeur *saumâtre*.

Comme je n'avais plus de guide, il me fallait choisir

seule la direction à prendre. Je regardai tout autour et empruntai un sentier qui longeait l'*eau*.

Soudain, j'entendis derrière moi un bruit de branches CASSÉES et de feuilles sèches piétinées. Puis un son résonna, qui me fit frissonner : c'était un RICANEMENT.

Quelqu'un me suivait, j'en étais certaine. Qui cela pouvait-il être ? Peu après, je sentis quelques gouttes de **pluie** tomber du ciel, mais… elles ne tombaient que sur moi ! Comment était-ce possible ?

Quelqu'un me suit…

Tandis que j'essayais de comprendre ce qui se passait, j'entendis de nouveau ce rire sinistre.

– **QUI EST LÀ ?** lançai-je d'une voix forte. Montre-toi, si tu en as le courage !

D'un groupe d'arbres émergèrent plusieurs créatures à l'aspect bizarre et menaçant. Mais je ne me laissai pas **INTIMIDER**.

J'observai leurs épées et leur déclarai poliment :

– Bonjour, nobles guerriers. Que puis-je pour vous ?

– Heu, nous… sommes les lutins gardiens des trésors, répondit l'un d'eux.

Je les avais donc trouvés !

– As-tu apprécié notre petite farce de la pluie ? Nous as-tu trouvés amusants ? continua un autre.

– Pourquoi ne nous offres-tu pas l'or que tu transportes ? siffla un troisième.

– Je n'ai pas d'or, répondis-je.

Les gardiens des trésors me fixèrent attentivement.

– Tu sais, tu me rappelles quelqu'un ! dit soudain le premier.

– Mais bien sûr ! J'y suis ! Elle ressemble à la VOLEUSE !

s'exclama le deuxième. Comment s'appelait-elle, déjà ? Son nom commençait par N…

– *Nina ?* essayai-je.

– Exactement ! C'est elle qui a volé l'or dont nous avions la garde. Ah, si jamais nous la retrouvons… menaça le troisième.

– C'est ta faute, c'est toi qui l'as laissée s'échapper avec l'or, accusa un autre.

– Comment oses-tu prétendre cela ? C'est toi qui l'as laissée s'échapper !

La dispute des gardiens des trésors s'envenimait.

C'est ta faute !

Non ! C'est la tienne !

– Cela vous dérangerait-il de m'expliquer ce qui est arrivé à Nina ? intervins-je au bout d'un moment. Vous disiez qu'elle est une voleuse ? **C'est impossible !**

Ils s'immobilisèrent, surpris. Puis l'un d'eux prit la parole :

– Bien sûr que c'est possible ! Il faut même reconnaître qu'elle s'est montrée très habile. Parvenir à tromper le roi de cette manière… Elle mérite des compliments !

– Voler n'est assurément pas une action qui mérite des compliments, objectai-je. Mais de quel roi parles-tu ?

– D'ONDEFRÉMISSANTE, LE ROI D'ERIN ! s'exclamèrent-ils en chœur.

Je n'en croyais pas mes oreilles : le vol de l'or était donc le motif de la **COLÈRE** du roi Ondefrémissante ! Mais ça ne pouvait certainement pas être l'œuvre de Nina…

– S'agit-il d'une plaisanterie ? demandai-je.

– Pas du tout ! Pourquoi le roi serait-il aussi FURIEUX,

sans cela ? répliqua un des lutins avec un ricanement malicieux.

– Trouve l'or et tu trouveras Nina, ajouta l'autre.

– Où puis-je les chercher ?

– Chez ceux qui ne sont jamais contents !

Sur ces mots, les gardiens des trésors se dispersèrent dans la forêt. Je demeurai seule.

LA FÉE MÉLANCOLIQUE

Je me remis en marche, en me demandant si je parviendrais à trouver la sortie de cet inextricable LABYRINTHE marécageux.

Les mots des gardiens des trésors tournaient dans ma tête. À présent, je connaissais la raison de la fureur d'ONDEFRÉMISSANTE : son or lui avait été dérobé ! Or je savais pertinemment que Nina n'était pas une voleuse, et il me fallait donc découvrir qui était le vrai RESPONSABLE de ce larcin. Les gardiens des trésors avaient évoqué «ceux qui ne sont jamais contents»… De qui parlaient-ils ?

Quelque chose me disait qu'une fois éclairci le mystère du trésor volé, je retrouverais Nina.

J'étais plongée dans ces réflexions, quand j'entendis une rumeur au loin. Je tendis l'oreille et perçus un son plus distinct : c'était une PLAINTE.

Je pensai aussitôt qu'il pouvait s'agir de Nina, et je pressai le pas en suivant la **DIRECTION** du gémissement.

En quelques minutes, j'atteignis l'entrée d'une large grotte, entourée de plantes grimpantes. Je décidai d'y pénétrer.

À l'intérieur il faisait plutôt **SOMBRE**, l'atmosphère était froide et humide. La plainte s'interrompit

Une grotte !

et je m'immobilisai. Dès qu'elle reprit, je me remis
en marche.

J'avais presque atteint le fond de la caverne, quand,
au loin, j'entrevis une SILHOUETTE.

Je m'approchai pour mieux voir.

Apparemment c'était une jeune fille.

– NINA ?

Elle continua à pleurer comme si elle ne m'avait pas
entendue.

– NINA ? répétai-je plus fort.

Elle releva la tête et me regarda. Une faille dans la
roche laissait filtrer une lumière diffuse. En décou-
vrant son visage, je compris qu'il ne s'agissait pas
de Nina, mais d'une créature enchantée : elle avait
des ailes sur le dos !

J'étais au comble de la stupeur : avant de pénétrer
dans le monde d'Erin, je pensais que les FÉES et
les lutins n'existaient que dans les contes ou les
rêves. Maintenant…

La fée m'observa de nouveau, puis se remit à san-
gloter.

Très doucement, afin de ne pas l'effrayer, je lui demandai :

– As-tu besoin d'aide ?

Ne recevant pas de réponse, j'ajoutai :

– Pardon, je ne voulais pas te déranger. J'ai entendu tes pleurs.

La fée sanglota de plus belle. J'avançai de quelques pas pour la consoler, mais elle recula brusquement.

– Que me veux-tu ?

– Je te l'ai dit : je voudrais t'aider. Pourquoi pleures-tu ?

Elle me fixa. Son regard était d'un vert plus brillant que l'émeraude. Ses yeux exprimaient une infinie tristesse, et je voulais en comprendre la raison.

– Tu n'es pas d'ici, et tu ignores qui je suis, répondit-elle d'une voix mélodieuse mais brisée par les larmes.

– C'est vrai, admis-je. Je viens de très loin… et je ne sais pas qui tu es.

– Je suis une banshee, une fée de la colline.

– Pourquoi demeures-tu toute seule, dans une grotte ?

– Mon destin est d'être *triste*, expliqua-t-elle, toujours en sanglotant, mais je n'aime pas gémir en public, c'est pourquoi je me cache ici.

– **MAIS C'EST HORRIBLE !** m'indignai-je. Personne ne peut être destiné à la tristesse !

Snif !

Snif !

Snif !

– Si. Nous, les banshees, nous le sommes, répliqua la fée sans parvenir à refréner ses sanglots. J'étais désolée de la voir souffrir ainsi, et il me vint une **idée**. Je connaissais un moyen très simple pour provoquer le rire : raconter une **BLAGUE** !

Il me semblait que la fée n'avait jamais connu le rire : une **ÉTINCELLE** de bonne humeur pourrait peut-être l'aider ? Certes, il me fallait trouver une histoire qu'elle puisse comprendre. Je réfléchis un instant, et l'inspiration me vint.

– Veux-tu que je te raconte une histoire **drôle** ? lui proposai-je alors.

La fée dressa ses longues oreilles en pointe, et acquiesça sans cesser de pleurer.

– Deux jeunes **lutins** étudient ensemble une leçon de géographie, commençai-je. L'un demande à l'autre : «Sais-tu quel est le meilleur endroit pour apprendre rapidement cette leçon ?» L'autre réfléchit puis répond : «À l'ombre d'un grand **ARBRE**?»

Ha, ha, ha!

«Nooon!!! s'écrie son ami. C'est sur les ailes d'un papillon. Là, on peut *survoler* le sujet !»

D'abord la fée me fixa, impassible. Puis, quelques instants plus tard, sur ses lèvres naquit un **SOU-RIRE**, qui bientôt se mua en **RIRE**.

Elle s'esclaffait comme si elle avait attendu ce moment depuis des temps immémoriaux. Sa voix limpide emplissait la grotte d'un SON charmant et cristallin.

Je me joignis à sa gaieté toute neuve, heureuse de lui avoir procuré un peu de consolation.

– Merci, me dit-elle quand elle retrouva son calme. Je n'avais jamais ri de ma vie : j'ai le cœur plein d'ALLÉGRESSE !

– Il y a un début à tout, même pour les *émotions*, lui répondis-je.

– C'est vrai… Je pensais que mon destin m'interdisait la joie, mais je me trompais !

La fée ôta le collier de fleurs qu'elle portait autour du cou et me le tendit.

– C'est pour toi.

– Merci, il est magnifique.

– C'est un collier très spécial, ajouta-t-elle. Si tu fermes les yeux et que tu penses à une question en inspirant le parfum des fleurs, la réponse t'apparaîtra. Mais fais bien attention : à chacune

de tes demandes les fleurs **FANERONT** progres-
sivement, jusqu'à ce qu'elles ne puissent plus donner
de réponses. Utilise-les à bon escient.

– Je ne sais comment te remercier, murmurai-je,
émue.

Je la saluai car je voulais me remettre en route, et
elle me répondit par un _sourire_.

C'ÉTAIT LE PLUS BEAU CADEAU QU'ELLE POUVAIT ME FAIRE !

UNE ÉTRANGE TABLÉE

Une fois sortie de la caverne, j'effleurai des doigts les **pétales** du collier. Quelle question devais-je poser ? Je fermai les yeux, me concentrai puis demandai :
– Nina, où es-tu ?
J'inspirai le délicat parfum des fleurs, et une image se forma dans ma tête.

– Nina ! m'écriai-je. Tu es **PRISONNIÈRE** !

Le collier m'avait montré Nina recluse dans une cage de **BRANCHES.** Qui l'avait enfermée ? Où pouvait-elle être ?

Un instant, je fus tentée de poser ces questions au collier, mais je me ravisai et décidai d'attendre. Plusieurs fleurs étaient déjà fanées, et je voulais conserver la possibilité de m'en servir en cas d'**URGENCE**.

Je repris donc mon avancée dans la forêt, en m'éloignant du marais, jusqu'à ce que je sente dans l'air une odeur de bois **BRÛLÉ**. Je levai les yeux vers le ciel, et, au loin, j'aperçus un filet de fumée… Peut-être y avait-il quelqu'un !

Je pressai le pas et, peu après, je tombai sur une **bande** de créatures à la mine dépitée en pleine discussion. C'étaient des petits hommes verts qui portaient autour du cou une clochette au tintement cristallin. Ils ressemblaient à des lutins…

– C'est ta faute, si nous nous sommes encore perdus, grommela l'un d'eux.

– Bien sûr, avec toi, c'est toujours la faute des autres, rétorqua le deuxième. Je n'ai fait que suivre la direction de la *FUMÉE* !

– Ah oui ? Alors pourquoi sommes-nous arrivés ici

plutôt que là-bas ? objecta le premier, en indiquant un endroit dans la **forêt**.

Finalement un autre lutin s'aperçut de ma présence. Il fit signe à ses compagnons, et tous se mirent à me **FIXER**.

– Est-ce que toi aussi tu as perdu le groupe ? s'enquit un des petits hommes verts avec un air désolé.

– Quel groupe ? demandai-je, sans comprendre.

Quel groupe ?

– Un groupe d'**étranges** créatures comme toi, précisa un autre.

– Voulez-vous dire que vous avez vu des créatures qui me *ressemblaient* ?

– Exactement ! acquiescèrent-ils. Tout à fait semblables à toi.

– La **blonde** était particulièrement mignonne… soupira un lutin d'un air rêveur.

– Deux d'entre elles avaient de longs cheveux noirs comme du charbon, tandis qu'une autre avait une chevelure *rousse*, divisée en deux touffes… C'était assez comique !

– Mais la plus drôle avait le pelage foncé et portait des **boucles**, hi, hi, hi !

Les lutins éclatèrent d'un rire joyeux. Mais moi j'avais autre chose en tête. Leur description correspondait à cinq rongeuses que je connaissais fort bien… Pouvait-il s'agir d'elles… des **Téa Sisters** ?

– Combien étaient-elles ? demandai-je pour en avoir le cœur net.

Un lutin se mit à compter sur ses doigts.

– Hum… Je dirais quatre…

– Elles étaient **cinq** ! Tu ne sais même pas compter, intervint un autre. Et il y avait aussi un jeune rongeur **COURAGEUX** !

C'étaient donc mes cinq amies, accompagnées par quelqu'un d'autre… S'étaient-elles lancées sur mes **TRACES**, alors même que je leur avais recommandé de demeurer à Raxford ? Avaient-elles contacté l'I.H.I. ? Dans ce cas, le rongeur courageux c'était lui… Will Mistery ! Il fallait absolument que je les retrouve !

– Savez-vous où ils sont ?

– Nous marchions en leur compagnie, et nous nous dirigions vers ce filet de **FUMÉE**, et puis… voilà… nous nous sommes perdus… commença le premier. Avant qu'ils recommencent à se disputer, j'intervins :

– S'il vous plaît, indiquez-moi la route à suivre.

– Tu dois suivre ce sentier ! s'écrièrent-ils en chœur, tout en sautillant, et en faisant résonner leurs clochettes entre deux cabrioles.

Rapidement, je parcourus le chemin, et quand je parvins à destination, je demeurai bouche bée.

Au beau milieu de plusieurs **maisonnettes** en terre cuite, autour d'une table richement dressée, mes amies les Téa Sisters étaient assises en compagnie de **WILL MISTERY** !

Le cœur battant, je courus à leur rencontre.

– Téa ! s'exclama Violet.

– C'est formidable que tu sois là ! ajouta Colette.

– Attention ! Ne t'approche pas des chaises ! me prévint aussitôt Will Mistery. Nous sommes **PRISON-NIERS** autour de cette table. Les fées du Oui nous ont jeté un sortilège pour nous immobiliser. Nous ne pourrons pas nous lever tant que nous n'aurons pas fini d'**avaler** tous les plats qu'elles ne cessent de cuisiner !

– Les fées du Oui ? répétai-je. Où sont-elles ?

Juste à ce moment, une voix retentit derrière moi :

Bonjour, jolie demoiselle !

Je me retournai et me trouvai devant une petite dame sympathique avec deux **ailes** sur le dos.

– Êtes-vous une amie de ces jeunes filles ? Nous leur avons préparé un beau **festin** ! Voulez-vous prendre place ?

Pendant ce temps, d'autres fées étaient apparues et voltigeaient au-dessus de la table, servant des mets de toutes sortes. Aussitôt les filles me firent signe de refuser l'invitation.

QUELLE SITUATION ABSURDE !

LA SOLUTION

La fée du Oui m'adressa un large ⁀sourire⁀. Moi, je cherchais à gagner du temps. Ne sachant comment décliner son **invitation**, je répondis avec la plus grande courtoisie :

– Merci, chère fée, mais je viens de déjeuner ! Donc, pour le moment…

– Non ! Asseyez-vous, gentille demoiselle. Pour nous ce sera un plaisir…

Pendant que j'essayais de résister à la FÉE, je remarquai que les Téa Sisters consultaient un mystérieux journal.

Finalement, Colette attira l'attention

Fées du Oui : Ne jamais s'asseoir à leur table !

Elles immobilisent leurs invités et ne les libèrent qu'une fois toutes leurs victuailles épuisées !

N.B. : elles peuvent accepter un échange d'invités.

de la fée du Oui, tandis que Paulina me **montrait** une des pages du cahier…

Bien sûr, la seule solution pour sortir de ce pétrin était de trouver d'autres convives qui puissent prendre la place de mes amis.

– J'ai une **idée**, soufflai-je à Paulina. Je sais qui pourrait vous remplacer à table.

Elle parut surprise.

– Tu n'as tout de même pas l'intention de t'asseoir toi-même pour nous libérer, Téa !

– Pas moi… je pensais à mes SYMPATHIQUES guides.

– Qui sont-ils ?

– J'ai rencontré dans la forêt plusieurs créatures portant au cou de joyeuses clochettes.

– Veux-tu parler des **lutins verts** ? s'exclama Paulina, en haussant la voix.

Toutes les fées du Oui tournèrent leurs regards vers nous.

– À présent, tu dois t'asseoir, ma chère, m'ordonna l'une d'elles d'un ton impérieux, en brandissant un gros GOURDIN en bois.

Je fis un pas en arrière, et fonçai vers la forêt sans que les fées aient le temps de m'intercepter.

Deux d'entre elles me poursuivirent.

– **ARRÊTE-TOI !** hurlèrent-elles.

Heureusement, je trouvai très vite les lutins.

– Vous êtes là, mes amis ! exultai-je.

Ils m'observèrent, étonnés.

Alors tu étais là !

– Alors tu étais **là**! Nous pensions que tu étais **LÀ-BAS**, commença l'un d'eux en indiquant la direction opposée à celle par laquelle j'étais venue.

– Peu importe. Je vous ai retrouvés, c'est l'essentiel. Auriez-vous faim, par hasard ?

– OUI, ÉNORMÉMENT !

Je les conduisis à la table des fées.

– Alors asseyez-vous à leurs places et… bon appétit !
Les fées du Oui étaient ravies d'avoir de nouveaux **CONVIVES**.

– *Bienvenue !* lança celle qui tenait le gourdin. Installez-vous auprès de nos amis.

– C'est que nous devons partir… répliqua aussitôt Colette.

– Non… voulut protester une fée.

– Nous savons que, selon votre loi, les invités peuvent être substitués. Les lutins prendront notre **PLACE**, la coupa fermement Paulina.

– Oui, oui ! approuvèrent ces derniers, enthousiastes.

Les cuisinières ne pouvaient s'opposer à ce changement.

– C'est d'accord, admit une troisième fée.

Les Téa Sisters essayèrent de se lever et cette fois elles y parvinrent !

– HOURRA ! HOURRA !! HOURRA !!!

Mais ensuite, nous remarquâmes les visages dépités des fées : elles étaient déçues et cela nous fit de la peine.

– Nous regrettons de ne pouvoir faire honneur à tous ces plats délicieux, mais vraiment nous sommes obligées de partir, s'excusa Violet. Nous reviendrons une autre fois, c'est promis !

Les filles sourirent, émues, en voyant les lutins s'asseoir à table et commencer à dévorer de bel APPÉTIT. Les fées seraient en bonne compagnie !

À NOUVEAU ENSEMBLE !

J'avais l'impression de rêver : j'étais en compagnie des Téa Sisters et de Will Mistery. Ensemble, nous nous mettrions en quête de Nina et de l'or d'Onde-frémissante.

Nous MARCHIONS en bavardant. Nous avions tant de choses à nous raconter !

– Nous avons décidé de contacter l'I.H.I., car nous pensions que tu aurais besoin de nous pour ta mission SECRÈTE, confessa Nicky.

– Vous avez bien fait, les filles. Voyager toute seule dans ce monde enchanté n'a pas été de tout repos. Mais vous, comment êtes-vous parvenus jusqu'ici ? demandai-je, intriguée.

– Comme je te l'ai dit au téléphone, intervint Will, il y a encore bien des réalisations du département des Sept Roses dont tu ignores l'existence. Comme par exemple le PORTAIL SECRET.

– Qu'est-ce donc ? dis-je, piquée par la curiosité.

– C'est un passage qui permet d'atteindre des dimensions *spatio-temporelles* différentes de la nôtre… comme celles des mondes fantastiques.

– **Incroyable !** m'exclamai-je. Je n'imaginais pas que vos recherches étaient si avancées.

Regarde, Téa !

Will acquiesça, puis reprit :

– Et toi, quel chemin as-tu pris ? Le passage secret sous le rocher des anciennes ruines ?

– Comment le sais-tu ? m'écriai-je en sursautant.

Ce fut Paulina qui me répondit.

– Un fois arrivés dans le monde d'Erin, nous avons trouvé ceci, m'expliqua-t-elle en me tendant un j o u r n a l. Ce sont les notes que Nina a prises au fur et à mesure de son exploration. Il contient énormément d'**informations** utiles !

Je hochai la tête : à présent tout devenait clair.

– D'après ce que j'ai pu découvrir, Nina s'est beaucoup déplacée dans le *monde d'Erin*, dis-je. Elle a rencontré de nombreuses créatures fantastiques. Malheureusement, les dernières nouvelles que j'ai recueillies à son sujet n'augurent rien de bon…

– Que s'est-il passé ? s'exclama Violet.

Je leur racontai l'épisode du collier de fleurs de la banshee, et la vision qui m'était apparue :

– Nina a été **capturée**, mais j'ignore par qui. D'autre part j'ai découvert que le roi Ondefrémissante est entré dans une colère noire parce qu'on lui a dérobé son **or**. Mais je suis certaine que Nina n'est pas l'auteure de ce vol.

– Ondefrémissante **SECOUE** le monde d'Erin parce qu'il est fou de rage, intervint Will. C'est ce qui explique la fissure !

Je lui lançai un regard interrogatif.

– Dans la salle des Sept Roses, que tu n'as pas encore visitée, nous avons réalisé des cartes SENSIBLES qui représentent tous les mondes fantastiques.

– Des cartes sensibles ? Qu'est-ce que cela signifie ?

– Ce sont des cartes spéciales, reliées par ondes **MAGNÉTIQUES** aux mondes qu'elles représentent. Ainsi, elles sont en mesure de nous renseigner « en temps réel » sur l'état de ces univers.

Au comble de la stupeur, je buvais les paroles de Will, qui continua :

– Alors que les Téa Sisters étaient avec moi au département des Sept Roses, une étrange FISSURE est apparue sur la carte du monde d'Erin. J'ai aussitôt compris qu'il était en danger et qu'il fallait réagir. J'ai donc décidé d'enrôler les Téa Sisters. J'ai estimé qu'elles étaient prêtes pour cette mission.

– Tu as bien fait ! s'exclamèrent-elles en chœur. Nous ferons de notre mieux pour sauver le monde d'Erin !

J'étais fier d'entendre mes cinq protégées tenir un tel langage : leur optimisme faisait chaud au cœur.

Afin de compléter le tableau, je relatai ma rencontre avec les gardiens des trésors.

– Ils ont parlé de « ceux qui ne sont jamais contents », souligna Violet. Or les fées du lac nous ont conseillé de chercher dans « les profondeurs d'un cœur mécontent »…

– Voyons dans le journal si Nina a écrit quelque chose à ce sujet, suggéra Paulina. Si seulement il n'était pas aussi abîmé…

Parmi les **TACHES** d'encre, nous remarquâmes une note soulignée : «Cour... d... ents... Vallée du... ir».

– Cela pourrait signifier : cour des Mécontents, c'est-à-dire ceux qui ne sont jamais contents ! hasardai-je.

– Vallée du... ir, continua Nicky.

– *Vallée du Désir !* s'écria Paulina.

– Bravo ! la félicitèrent ses amies.

Will ouvrit la carte pour voir où se trouvait cette vallée. De mon côté, je fermai les yeux et demandai au **collier** quelle était la voie la plus directe pour rejoindre la vallée du Désir. L'itinéraire m'apparut aussitôt, ainsi que l'image de la vallée. Quand

je rouvris les yeux, je remarquai que les filles paraissaient *inquiètes*.

– Pam a… disparu, souffla Colette d'une voix blanche.

– Comment est-ce possible ?

– Pam ! Pam ! appela Nicky.

Personne ne répondit : Pam semblait s'être évanouie
dans le *NÉANT*.

QU'A-T-IL PU LUI ARRIVER ? murmura
Colette.

– Nous le découvrirons. Je suis persuadée qu'il y a
une explication, assurai-je en regardant mon collier.
Je tentai de l'interroger de nouveau, mais ses *fleurs*
étaient toutes fanées, et malheureusement il ne fonc-
tionna pas.

Je lançai un regard découragé vers Will, qui trancha
aussitôt :

– Mettez-vous en route. Moi, je resterai ici pour
chercher Pam. Nous vous rejoindrons à la vallée
du Désir !

ONDEFRÉMISSANTE FRÉMIT

Nous venions de nous mettre en marche vers la vallée du Désir, quand de nouveau la terre TREMBLA sous nos pieds.

– Il faut s'éloigner d'ici au plus vite ! hurlai-je à mes amies. Les arbres peuvent s'abattre sur nous à tout moment !

À cet instant nous manquâmes de nous faire renverser par une HORDE de petits animaux qui galopaient à toute vitesse.

– Suivons-les ! suggéra Nicky. Nous nous mîmes à courir le plus vite possible, en espérant que Will et Pam étaient en sécurité.

Au bout de quelques interminables minutes,

ONDEFRÉMISSANTE FRÉMIT

la SECOUSSE prit fin. Elle fut bientôt suivie
d'une autre, moins puissante, qui ne nous effraya pas.
Entre-temps, nous avions atteint la lisière de la
forêt. Les arbres avaient fait place à un très beau
LAC, au-delà duquel s'ouvrait une étroite vallée qui
serpentait entre les versants des **montagnes**.

Regardez là-bas!

ONDEFRÉMISSANTE FRÉMIT

Je reconnus aussitôt la *vallée du Désir* dont j'avais eu la vision grâce au collier de fleurs.

– C'est **LÀ-BAS** que nous devons aller ! lançai-je à mes étudiantes.

Elles me regardèrent, confiantes, et, d'un **pas** décidé, se dirigèrent vers les montagnes.

UN FEU À SAUVEGARDER

Pendant que nous nous dirigions vers la vallée du Désir, en Irlande, sous le rocher des vieilles ruines, l'agent O'Malley veillait sur le FEU. Tant qu'il demeurerait allumé, l'escalier qui s'était ouvert comme par magie dans le sol de la grotte me permettrait de revenir du monde d'Erin, une fois ma mission accomplie.

La tâche d'O'Malley n'était pas facile : l'agent de l'I.H.I. était seul, et il patientait depuis longtemps. Il commençait à ressentir la fatigue de sa longue veille et, en dépit de ses efforts, il fut bientôt gagné par le sommeil.

Il s'assoupit près du feu. Mais au bout de quelques minutes, il fut réveillé par une rumeur sourde et puissante qui montait des profondeurs de la Terre. Les parois de la grotte TREMBLÈRENT, mais il conserva son calme.

Il ramassa quelques branches de genévriers, puis ranima les flammes, qui heureusement ne semblaient pas avoir été affectées par les secousses.

O'Malley sourit, rassuré : il avait évité le **PIRE** !

Une fois que le tremblement de la terre cessa, le vent, qui jusqu'à présent avait violemment soufflé, se calma.

Soulagé, l'agent de l'I.H.I. s'*ÉLOIGNA* de quelques pas du feu pour vérifier l'état de la mer. Ce qu'il vit lui fit perdre le sourire : d'immenses *vagues* se profilaient à l'horizon, et le ciel chargé de nuages lourds n'annonçait rien de bon.

– Hum… cela ne me plaît pas du tout… commenta O'Malley pour lui-même.

Effectivement, quelques instants plus tard, le *VENT*

reprit avec une force redoublée, et une rafale plus puissante que les autres souffla sur le feu, et l'éteignit.

– *Oh non ! Ce n'est pas possible !* gémit l'agent quand il s'aperçut que le passage secret pour le monde d'Erin avait disparu.

Il tenta aussitôt de rallumer le foyer, mais en vain. La situation était plus que **CRITIQUE** ! La tempête s'approchait de l'île, et les vagues grossissaient à vue d'œil. «Cet ouragan va s'**abattre** sur le

château… pensa-t-il. Si je ne pars pas tout de suite, il sera trop tard. Je dois avertir immédiatement l'I.H.I. du *DÉVELOPPEMENT* de la situation… »

Il pensa à moi, demeurée bloquée dans ce monde sous les flots. « Il faut au moins que je réussisse à me mettre à l'abri, se dit-il, sans cela personne ne saura ce qu'est devenue Téa Stilton, et on ne pourra pas l'aider à **SORTIR** du monde d'Erin ! »

Alors, après avoir scruté la mer une dernière fois,

O'Malley décida que, dans l'intérêt de la mission, il devait d'abord **sauver** sa vie.

Il se dirigea vers le canot à moteur avec lequel nous avions atteint l'île, monta à bord, et, le cœur gros d'**inquiétude**, mit le cap sur la côte.

UN MAUVAIS PRESSENTIMENT

Les filles et moi parvînmes à l'entrée de la vallée du Désir au coucher du soleil. Bientôt, nous aperçûmes un **village** au loin.

– Pensez-vous qu'il s'agit de la cour des Mécontents ? demanda Colette.

Paulina ouvrit le journal de Nina et en feuilleta les pages.

– Nina dépeint la cour comme un ensemble de maisonnettes **DÉLABRÉES**, situées un peu après le début de la vallée, le long d'un fleuve. Nous sommes encore loin, mais il me semble que sa description coïncide. Apparemment c'est le dernier lieu par lequel Nina est passée avant de **perdre** son journal.

– Peut-être que les Mécontents ont volé l'**or** d'Ondefrémissante ? suggéra Violet.

– C'est possible, mais nous ignorons si Nina a

rencontré quelqu'un d'autre ensuite, fis-je remarquer. Nous devons chercher d'autres indices.

– *ALORS ALLONS-Y!* s'exclama Nicky.

– Les filles, nous devons être prudentes, recommandai-je. Nous ignorons ce que nous trouverons là-bas. Si les Mécontents ont effectivement VOlé l'or, ils essayeront certainement de le défendre. Leur accueil ne sera sans doute pas très amical !

Les Téa Sisters acquiescèrent et se remirent en marche.

Pendant ce temps la **nuit** était tombée, et Nicky fabriqua des *TORCHES* avec des branchages. Elle les alluma et nous les distribua.

– *Fantastique !* s'exclamèrent les autres.

Quand nous atteignîmes les abords du village, nous entendîmes un bruit de pas qui s'approchait.

Nous comprîmes soudain que nous étions tombées dans une embuscade, mais il était trop tard.

Une bande d'étranges créatures au regard menaçant, armées de HACHES aiguisées, nous avaient encerclées. Leurs corps puissants dégageaient une forte odeur de terre. Leurs têtes **hirsutes** et *INQUIÉTANTES* étaient coiffées de bonnets rouges.

Je lançai un coup d'œil à mes étudiantes pour leur

Qui êtes-vous?

faire comprendre qu'elles devaient garder leur calme, puis je demandai :

– Puis-je savoir qui vous êtes ?

– Nous sommes les **BONNETS-ROUGES**, et nous faisons partie de la cour des Mécontents, déclara fièrement l'un d'eux.

Un autre s'approcha de moi en m'adressant un sourire **MALÉFIQUE**, et me dit d'une voix grinçante :

– Suivez-nous ! Et pas de résistance, sinon...

Nous lui emboîtâmes le pas, escortées par ses compagnons.

LA COUR
DES MÉCONTENTS

Nous cheminions le cœur battant, encadrées par les Bonnets-Rouges.

Qu'allaient-ils faire de nous ?

Quand nous parvînmes sur les berges du fleuve, le chef de file ordonna :

– Par là.

Nous le suivîmes sur une étroite PASSERELLE qui enjambait les eaux agitées.

Une fois parvenus sur l'autre rive, tandis que nous longions le cours d'eau, nous perçûmes une sorte de PLAINTE qui semblait provenir des flots.

Qu'était-ce donc ?

Autour de nous, tout était sombre, seuls quelques foyers ARDENTS, près des cabanes, diffusaient une faible lueur. La plupart de ces masures étaient très mal en point, et cette vision me serra le cœur. Un peu plus loin, je remarquai les contours d'un édifice imposant, noir comme la **nuit**.

– Regardez, c'est un château ! s'exclama Nicky quand nous approchâmes.

Il était **EFFRAYANT** : sombre et silencieux, totalement immergé dans les ténèbres. Et nos ravisseurs nous emmenaient justement là.

À nouveau, un gémissement **LUGUBRE** monta des eaux du fleuve.

– Qu'est-ce qu'on entend ? me risquai-je à demander.

Le Bonnet-Rouge qui menait le groupe me répondit :

– C'est la voix de la **LAVANDIÈRE DÉSESPÉRÉE.**

– La lavandière désespérée ? répétai-je. Qui est-elle ?

Hélas...

– C'est un esprit prisonnier des eaux, qui passe son temps à laver le linge et à pleurer sur son sort.

– Les gens ne sont pas très joyeux par ici, observa Colette en regardant autour d'elle.

– Bien sûr ! Nous sommes la **COUR DES MÉCON-TENTS** ! rétorqua sèchement un Bonnet-Rouge.

En effet, les quelques créatures que nous apercevions sur les bords du fleuve avaient toutes un aspect

SINISTRE et **TERRIFIANT**, tout comme celles qui nous conduisaient vers le château.

– Trêve de bavardages ! **AVAN-CEZ !** nous intimèrent nos gardes. Je croisai le regard de mes jeunes étudiantes, et leur adressai un sourire pour les rasséréner. Nous

Nous sommes arrivés !

marchâmes encore un peu, puis nous franchîmes le seuil d'un immense **PORTAIL** branlant.

Sous la direction des Bonnets-Rouges, nous parcourûmes un long corridor **OBSCUR**, aux murs de pierres.

Au bout d'un temps qui me parut interminable, nous atteignîmes une **SALLE**, où quelqu'un attendait. Et ce qu'il attendait, c'était justement… nous !

Rᵢen qu'une...

Tandis que les filles et moi étions aux prises avec la cour des Mécontents, Will Mistery errait dans la **FORÊT** à la recherche de Pam.

La nuit était tombée, et il avait allumé une torche afin d'avoir un peu de clarté.

C'est grâce à cette *FLAMME* qu'enfin...

– Will ! s'exclama la voix désemparée de Pam.

Il se retourna et, à travers les *ténè-bres*, il vit se dessiner le visage de la jeune fille. Elle semblait perdue et quelque peu effrayée.

Pam !

Il accourut à sa rencontre et lui demanda :

– Que t'est-il arrivé ? Nous t'avons cherchée partout...

– Je regrette... bredouilla Pam, la mine honteuse. J'ai humé une *ODEUR* délicieuse et... je ne sais pourquoi, je n'ai pas pu résister : je suis partie voir d'où elle venait, sans même vous prévenir !

– Nous t'avons appelée, mais tu ne nous as sans doute pas entendus.

– J'ignore ce qui m'a pris, je me suis sentie attirée par ces **FRUITS**. Alors j'en ai mangé et puis... j'ai perdu la mémoire, et ensuite le sens de l'**orientation**... J'étais incapable de vous retrouver !

– De quels fruits parles-tu ?

Pam l'invita à la suivre. Elle fit quelques pas, puis s'arrêta et montra un **tronc** qui, dans la noirceur de la nuit, n'était qu'une ombre parmi d'autres.

Will l'éclaira avec sa torche : c'était un arbre au feuillage LUXURIANT et aux BRANCHES noueuses. De **gros** fruits **juteux**, couleur rouge feu, pendaient çà et là.

Instinctivement, Pam tendit le bras pour en cueillir un, mais Will l'en empêcha.

– Arrête ! Je reconnais ces fruits : ce sont des baies ensorcelantes ! Elles sont très dangereuses : quand on les mange, on oublie tout… C'est à cause d'elles que tu as perdu la mémoire et l'orientation.

– Elles sont si bonnes… Je voudrais en goûter encore une… rien qu'une…

– MIEUX VAUT T'ABSTENIR ! trancha Will en la retenant par le bras.

Pam jeta un coup d'œil vers l'arbre, puis se retourna et déclara d'une voix résolue :

– D'accord, c'est toi qui as raison !

Will la lâcha et elle regarda à nouveau les fruits. Mais cette fois elle se concentra, et ne ressentit plus l'envie irrésistible d'en cueillir.

– J'ai résisté au sortilège ! triompha-t-elle. Merci, Will !

– Je t'en prie ! Ces fruits n'ont pas de pouvoir sur moi, car, au département des Sept Roses, nous apprenons à reconnaître les enchantements, et à nous opposer à leur pouvoir. Il n'en est pas de même pour vous… du moins pas encore !

Pleine de gratitude, Pam sourit à Will, puis s'inquiéta :

– Où sont mes amies ? Et Téa ?

– Elles vont bien… enfin, je crois. Je les ai laissées continuer toutes seules pendant que je partais à ta recherche. À présent, nous allons les REJOINDRE.

– Quelle direction ont-elles prise ?

– Elles se rendaient à la cour des Mécontents. C'est le dernier lieu décrit dans le journal de Nina.

Pam, anxieuse, leva les yeux vers le ciel OBSCUR.

– Ne t'en fais pas, ajouta Will, anticipant la question de la jeune rongeuse. Malgré la nuit, je trouverai le chemin. Je possède un très bon sens de l'orientation.

J'aperçois des lumières !

Pam poussa un soupir de soulagement.

– Quel bonheur que tu sois venu me chercher. Du fond du cœur, merci.

– Allons-y ! lança Will avec un large sourire, ouvrant la voie avec sa TORCHE.

Tous les deux se mirent en marche, en s'éclairant à la lueur de la flamme dans l'obscurité profonde qui enveloppait la forêt, telle un manteau spectral.

Ils cheminèrent longtemps, se **trompèrent** de route plusieurs fois. Après de nombreuses tentatives infructueuses, ils atteignirent l'entrée de la *vallée du Désir*.

– Des **lumières** ! s'exclama Pam, en montrant le groupe de maisonnettes.

– Il pourrait bien s'agir de la COUR DES MÉCON-TENTS, commenta Will. Je n'aperçois pas d'autres villages aux alentours.

– Il n'y a plus qu'à s'y rendre, conclut Pam, enthousiaste.

– Nous devons d'abord élaborer un plan, tempéra Will.

– Un plan ?

– Eh oui ! Nous ne savons pas du tout ce qui nous attend là-bas. D'après leur nom, les Mécontents pourraient bien être des créatures hostiles. Nous n'avons aucune **idée** de l'accueil qu'ils ont réservé à Téa et aux Téa Sisters…

Will réfléchit un instant, puis poursuivit :

– D'abord nous éteindrons la torche, et nous nous

approcherons sans faire de bruit : il ne faut pas qu'on découvre notre présence !

– Comme ça, si Téa et les autres sont en difficulté, nous pourrons leur porter secours, compléta Pam.

– Exact ! Nous devons être prêts à toute ÉVEN-TUALITÉ.

Sur ces mots, Will étouffa la flamme et murmura :

– Restons proches, Pam, pour ne pas risquer de nous **perdre**.

La jeune fille ne répondit rien, mais, dans l'**obscurité**, Will l'entendit avancer derrière lui.

LE GRAND MÉCONTENT

Pendant ce temps, les filles et moi avions pénétré dans une grande salle baignée dans la pénombre.

– **AVANCEZ!** grogna d'une voix terrible une forme imposante assise sur un trône.

Aucune de nous ne s'exécuta, alors un des Bonnets-Rouges me piqua avec sa lance.

– *Mais... en voilà des manières!* protestai-je, tout en esquissant quelques pas en avant.

– Qui êtes-vous? lança l'énorme et inquiétante silhouette, avec un éclat de rire fracassant.

Puis le personnage se leva. Debout, il était aussi haut qu'une **montagne**, et plutôt pesant, à en juger par le bruit de ses pas.

Au moment où je fus face à lui, je levai la tête. Mes

yeux croisèrent son regard FROID et impitoyable :
nous avions trouvé le roi des Mécontents…

– Sire, que pouvons-nous faire pour vous ? demandai-
je d'un ton aimable mais ferme.

– C'est moi qui pose les **questions** ! rétorqua-t-il,
menaçant.

– Comme il vous plaira, répondis-je très calmement.
Il cherchait visiblement à m'impressionner par ses
manières brutales.

– Je suis le **GRAND MÉCONTENT**, souverain de cette
cour. Et personne ne peut venir farfouiller impu-
nément dans mon royaume, tonna-t-il.

– Nous n'étions pas du tout en train de farfouiller,
répliqua Nicky.

– Et puis nous n'étions pas vraiment dans votre
royaume, ajouta Paulina.

– **AH NON ?** hurla-t-il en s'adressant à ses gardes.
Ceux-ci, apeurés, firent un pas en arrière et l'un
d'eux bredouilla :

– Heu… elles étaient dans le royaume, euh enfin
disons à la frontière, voilà…

— Quoi qu'il en soit, je ne veux pas d'ÉTRANGERS ici, et surtout pas de créatures bizarres, venues d'un autre monde !

À ce moment, j'intervins :

— Nous cherchons une *jeune fille*, et nous ne partirons pas sans elle.

— Qu'est-ce qui vous fait croire qu'elle est ici ? demanda le roi.

Je ne veux pas d'étrangers ici !

– N'est-ce pas le cas? répliquai-je.

– Je déteste qu'on réponde à une **question** par une autre **question**, tonna-t-il.

– Eh bien, nous pensons qu'elle est ici, insistai-je.

– Ainsi vous êtes venues pour trouver cette **jeune fille**... Très bien. Je vais vous donner satisfaction, car aujourd'hui je me sens d'humeur fort généreuse. N'est-ce pas, mes fidèles sujets?

– **Oh oui!** s'exclamèrent en chœur les Bonnets-Rouges.

Nous cherchons une jeune fille ! Et nous ne partirons pas sans elle !

Le souverain eut un sourire ravi.

Les Téa Sisters poussèrent un soupir de soulagement.

Quant à moi, je me méfiais de ce Grand Mécontent. Il avait cédé trop facilement.

La suite allait me montrer que mes soupçons étaient plus que fondés !

On nous conduisit dans la cour du château. Là, les flammes d'un FEU de bois projetaient une lumière sinistre sur une jeune fille… une jeune fille prisonnière dans une CAGE de ronces !

ET MAINTENANT ?

– *Nina !* appelai-je.

La jeune rongeuse posa son regard sur moi ; et ses yeux s'animèrent aussitôt.

– **ME CONNAIS-TU ?** demanda-t-elle, stupéfaite.

Je m'approchai, suivie par mes étudiantes.

– Je me nomme Téa Stilton, et voici les Téa Sisters. Nous collaborons depuis peu avec le département des Sept Roses… murmurai-je en lui montrant mon pendentif de cristal. Will Mistery était très inquiet à ton sujet, c'est pourquoi nous sommes parties à ta recherche.

Puis je m'adressai au roi :

– Sire, pourquoi l'avez-vous enfermée ? Ce n'est pas bien ce que vous avez fait !

– Je ne fais pas le bien ! tonna-t-il. Je suis le Grand

Mécontent, je gouverne par le CHAGRIN et la DÉSO-LATION !

– Libérez-la immédiatement ! explosa Colette.

– Je vais faire mieux que ça, ma chère, susurra le roi. Comme vous semblez très liées, je vais vous laisser MOISIR avec elle… en prison !

– Quoi ? m'écriai-je.

– Vous avez très bien compris. Gardes, dépêchez-vous de construire une autre geôle, ordonna-t-il.

Plusieurs Bonnets-Rouges se mirent à tresser une seconde CAGE de ronces, tandis que les autres nous tenaient en RESPECT.

La situation était **absurde** : nous avions retrouvé Nina, et nous allions être emprisonnées, nous aussi !

Grrr !

– Vous ne pourrez plus jamais **SORTIR** d'ici, déclara le roi. Les ronces sont entrecroisées de façon qu'il soit impossible de les dénouer de l'intérieur. Puis il éclata d'un rire sardonique et ajouta, avant de s'éloigner :

– Vous êtes mes prisonnières… pour toujours !

NOUS ÉTIONS PRISES AU PIÈGE !!!

Ha, ha, ha !

Je pensai à Will Mistery et à Pam : s'ils étaient sur nos 🐾🐾🐾🐾🐾🐾, ils pourraient peut-être nous venir en aide.

– Je suis désolée… soupira Nina.

– Tu n'as pas à être **désolée**, la coupai-je. Ce n'est pas du tout ta faute.

– C'est ma faute. Si vous ne vous étiez pas lancées à ma recherche, vous ne seriez pas dans ce pétrin !

– Nous sommes ravies de t'avoir retrouvée. Tu verras, toutes ensemble, nous parviendrons à sortir de cette situation quelque peu… **épineuse** !

Les étudiantes sourirent, ainsi que Nina.

– Comment avez-vous découvert où je me trouvais ? demanda-t-elle ensuite.

– Nous avons mis la main sur ton **journal**, intervint Paulina.

– En vérité, il est un peu **ABÎMÉ**, dit Violet. Mais il nous a été bien utile pour parvenir jusqu'à toi !

– Par contre nous n'avons toujours pas compris pourquoi tu as décidé de te rendre ici, à la cour des Mécontents, fit remarquer Colette.

Nina jeta un **COUP D'ŒIL** furtif sur le Bonnet-Rouge de garde. Celui-ci s'était endormi et ronflait bruyamment.

– Je vais tout vous raconter, commença-t-elle.

UNE AIDE
PRÉCIEUSE

Pendant ce temps, Pam et Will Mistery s'étaient engagés dans la vallée et avaient atteint le fleuve. Ils avaient mis plus de temps que prévu, car ils s'étaient perdus plusieurs fois dans l'obscurité. Mais à présent ils étaient certains que les eaux du fleuve les conduiraient jusqu'à la COUR DES MÉCON-TENTS.

– Si seulement nous savions précisément où se trouvent Téa et les autres... chuchota Pam.

– ÉCOUTE, l'inter-rompit Will en dressant l'oreille. Il y a quelque chose...

Pam se concentra, mais

Écoute!

n'entendit rien. Alors Will se tourna vers les *flots* et entonna un *chant* mystérieux. Pam l'observa, stupéfaite. Elle ne comprenait rien. Pourtant, quelques instants plus tard, elle entendit un son qui ressemblait à la plainte d'une voix féminine.

Soudain l'eau s'agita et, à la surface, **affleura** un visage à peine visible dans le noir. La voix était forte et claire.

– Will, que se passe-t-il ? s'inquiéta Pam.

– Nous avons rencontré un esprit des eaux, la **LAVANDIÈRE DÉSESPÉRÉE**. Elle m'a demandé ce que nous faisions ici… et je lui ai répondu. Elle veut nous aider !

– Mais… tu **comprends** sa langue ? s'émerveilla Pam.

– Au département des Sept Roses nous étudions les langages des créatures peuplant les mondes fantastiques. Ce sont des **langues étrangères**, ni plus ni moins, expliqua-t-il.

– Cette lavandière pourrait-elle nous révéler où se

trouvent Téa et les autres ? demanda Pam, pleine d'espoir.

Will chanta de nouveau, et des eaux du fleuve, la réponse arriva.

– Elle dit que des **BONNETS-ROUGES** sont passés par ici avec un groupe d'étranges créatures.

– Où les ont-ils emmenées ?

– Dans un **CHÂTEAU** délabré… là où demeure la cour des Mécontents.

– Alors Téa et les Sisters sont certainement prison-nières ! s'alarma Pam.

– Je crains que oui. L'esprit nous recommande d'être pru-dents, et nous **déconseille** de suivre le lit du fleuve, pour ne pas être capturés à notre tour.

– Cet esprit est vraiment très **aimable**.

– Oui, nous avons eu de la chance ! conclut Will.

Il entonna un dernier chant, et les REMOUS s'évanouirent.

– J'ai remercié la LAVANDIÈRE DÉSESPÉRÉE de nous avoir aidés, et elle s'est à nouveau immergée. À présent nous pouvons PARTIR.

Pam lança à Will un regard admiratif, et tous deux se remirent en marche.

Ils avancèrent d'un pas résolu, dans la nuit, en prenant garde à ne pas faire de bruit, jusqu'à ce qu'ils atteignent le village.

La cour, les cabanes et le château baignaient dans un silence profond. À cette heure tout le monde dormait.

– Le château est-il surveillé par des sentinelles ? s'enquit Pam.

– Je crois que oui, répondit Will. Nous devons essayer de nous approcher sans être découverts.

En se déplaçant avec mille précautions, ils firent le tour des remparts et parvinrent près du château. Soudain ils entendirent distinctement un ronflement puissant.

– Par mille bielles embiellées ! chuchota Pam. Là-bas, la sentinelle est endormie !

Ils marchèrent dans cette direction, en veillant à passer INAPERÇUS. Et, près du château, ils distinguèrent deux énormes CAGES de r o n c e s … les cages où nous étions enfermées !

Ce sont des cages, là-bas !

LE RÉCIT
DE NINA

Pendant ce temps, Nina nous racontait ce qui lui était arrivé :

– Will Mistery m'avait demandé de mener une recherche sur le mythique monde d'Erin, afin d'en améliorer la CARTE sensible. Je me suis aussitôt mise à étudier toute la documentation disponible dans la bibliothèque du département des Sept Roses. Plusieurs archives évoquaient la présence en Irlande d'un passage vers le monde d'Erin. J'étais un peu sceptique : comment pouvait-il exister une voie entre l'univers réel et un monde fantastique ? Si cette information venait à être confirmée, elle aurait bouleversé toutes nos connaissances : jusque-là, nous étions convaincus que seul le portail secret permettait d'ATTEINDRE les mondes fantastiques. Je décidai alors de partir pour l'Irlande, afin de vérifier sur le terrain.

– Comment as-tu découvert l'entrée du passage ? demanda Paulina, intriguée.

– J'ai ENQUÊTÉ auprès des marins et des vieux habitants des villages de la côte. Enfin, à Dunmore East, on me rapporta une légende intéressante. Elle évoquait un mystérieux escalier qui s'ouvrait dans le rocher sur lequel se dressent les ruines antiques. Je me suis rendue sur les lieux et…

– C'est ce même escalier que j'ai emprunté pour descendre dans le *monde d'Erin* ! l'interrompis-je à ce moment.

– Bravo de l'avoir trouvé, Téa ! me félicita Nina.

– C'est Ted O'Malley, l'agent de l'I.H.I. que j'ai rencontré à Dunmore East, qui me l'a indiqué. J'espère qu'il est encore sur le rocher pour entretenir le FEU…

Nina poursuivit son récit :

– Une fois parvenue dans le monde d'Erin, j'ai découvert de nombreux secrets, en particulier sur la cour du roi Ondefrémissante. Mais je n'avais pas réalisé que ces informations pouvaient éveiller l'intérêt de créatures malintentionnées…

– **DES CRÉATURES… COMME LES MÉCON-TENTS ?** intervint alors Colette.

– Exactement.

– Est-ce la raison pour laquelle ils t'ont ENFERMÉE ici ? continua Violet.

– Oui, mais, malheureusement, il y a autre chose, reprit Nina d'un ton plus grave. Quand les Bonnets-Rouges et le Grand Mécontent m'ont capturée, ils ont voulu que je leur livre toutes mes informations. Je me suis exécutée, dans l'espoir qu'ils me laissent partir. Quand je leur ai parlé des richesses qui étaient conservées à la cour du roi ONDEFRÉMISSANTE, l'avidité est apparue sur leurs visages : ils voulaient s'emparer du trésor du roi.

– Et alors ? s'exclamèrent en chœur Nicky et Colette.

– Les Mécontents ont attendu le moment opportun, puis, en se servant de mes renseignements, ils ont dérobé le trésor d'Ondefrémissante.

– Il y a une chose qui m'échappe : puisqu'à présent

ils ont obtenu ce qu'ils convoitaient, pourquoi ne pas te libérer? souligna Colette.

Nina soupira :

– Ils veulent que je les **aide** à quitter le monde d'Erin et à passer dans notre univers.

– Pourquoi souhaitent-ils abandonner leur foyer? m'étonnai-je.

– Pour profiter du trésor loin d'ici, et de ceux qui pourraient le leur reprendre.

– C'est terrible! Je ne peux même pas imaginer les Bonnets-Rouges rôdant dans notre monde! s'alarma Nicky.

– De plus cela risquerait de rompre l'équilibre entre les mondes… Une fracture s'ouvrirait, et elle serait impossible à réparer, expliqua Nina.

– Voilà donc la raison de la **FISSURE** qui est apparue sur la carte du monde d'Erin! s'exclama alors Paulina.

Nous expliquâmes à Nina ce dont il s'agissait, et nous la mîmes au courant de l'**ÉTRANGE** disparition de Pam.

Elle s'inquiéta, mais je la rassurai aussitôt : j'étais certaine que Will et Pam viendraient bientôt à notre SECOURS. Et, juste à ce moment, nous entendîmes un bruit.

C'ÉTAIENT DES PAS !

BONJOUR !

Les pas se firent plus proches, mais on ne voyait encore personne. Nous gardâmes un silence absolu, qui fut soudain rompu par un murmure :

– Les filles…

Je reconnus la voix de Pam sur-le-champ : ils étaient venus nous libérer !

Quand Will vit Nina, son visage s'illumina de bonheur.

– *Nina* ! Enfin nous t'avons retrouvée… Comment vas-tu ? lui demanda-t-il, anxieux.

– Tout va bien, Will, sois tranquille. Je suis contente que vous soyez là, mais d'ici peu les Bonnets-Rouges se réveilleront, lui répondit-elle à mi-voix. Ils se rassemblent toujours à l'AUBE pour aller à la chasse. Avant de partir, ils font un tour d'inspection du village, puis ils s'en vont en ne laissant que deux sentinelles.

– Alors vous devez immédiatement vous cacher ! intervins-je aussitôt. Quand la voie sera libre, nous chercherons un moyen de fuir ! Pam et Will disparurent dans l'*ombre*… juste à temps ! Au même moment, le Bonnet-Rouge de garde ouvrit les yeux.

Juste à temps !

– Bonjour ! Bien dormi ? lança Nicky d'une voix claironnante.

Il lui adressa un regard amorphe, puis sa bouche s'ouvrit en un bâillement gigantesque, et il maugréa, mécontent :

– J'ai très **mal** dormi, comme toujours…

– Pourrions-nous avoir de l'**eau** ? demanda Nina. Il se secoua, sortit une petite corne de sa poche et souffla dedans. Quelques instants plus tard arriva un second Bonnet-Rouge, lui aussi de mauvaise humeur.

– ELLES VEULENT BOIRE, grogna le premier.
Le Bonnet-Rouge disparut et revint peu après avec une carafe d'eau. J'en goûtai une gorgée, mais je dus la recracher… Elle avait un goût **ÉPOUVANTABLE** !

Ici, tout est mauvais.

– Eh oui ! Ici, tout est mauvais, même l'eau… commenta le Bonnet-Rouge qui nous avait servi à boire.

– Envoie quelqu'un pour me relayer. Je suis fatigué de rester là, **GROMMELA** celui qui montait la garde.

L'autre ne lui répondit même pas, mais un troisième arriva, évidemment en **BOUGONNANT**, pour s'occuper de nous.

– Je ne comprends pas pourquoi c'est encore mon tour ! J'étais déjà de garde il n'y a pas si longtemps, et je dois m'y remettre. **CE N'EST PAS JUSTE ! JE NE SUIS PAS CONTENT !! JE NE SUIS PAS CONTENT DU TOUT !!!**

Je pensai alors qu'aucun nom ne conviendrait mieux à ces créatures, qui passaient leur temps à se *plaindre* sans

jamais voir les bons côtés de la vie, que celui de
« Mécontent ».

Lentement, le ciel commençait à s'ÉCLAIRCIR, et
nous aperçûmes les groupes de Bonnets-Rouges qui
partaient à la CHASSE. La cour des Mécontents se
vidait à vue d'œil, et ceci arrangeait bien nos affaires.

Une aide...
venue du ciel !

Quand les Bonnets-Rouges se furent suffisamment éloignés, Pam et Will sortirent de leur **cachette** pour nous rejoindre.

Dès que notre garde aperçut les deux intrus, il se leva et pointa sa LANCE sur eux.

– Ne bougez plus ! hurla-t-il. Qui êtes-vous ? Que voulez-vous ?

– LIBÉREZ NOS AMIES TOUT DE SUITE !

lui ordonna Will d'un ton ferme.

Le Bonnet-Rouge lui lança un regard de défi, puis répondit :

– Pas question : elles sont en cage. Et vous allez leur tenir **compagnie** !

Il avança vers Will et Pam, menaçant.

Juste à ce moment Will *entonna* une mélodie

particulière, d'abord très aiguë, puis grave. Soudain des centaines d'*oiseaux* se rassemblèrent au-dessus de nous, volant en **cercle**. Ils étaient si nombreux qu'ils masquaient complètement la lumière du SOLEIL.

Devant ce prodige, le Bonnet-Rouge PÂLIT de peur et s'enfuit.

Les oiseaux descendirent vers nous. Branche par branche, ils DÉNOUÈRENT

les mailles de nos cages avec leurs becs et nous libérèrent.

Je n'avais jamais rien vu d'aussi stupéfiant.

– Comment… as-tu fait ? bredouilla Paulina, quand elle se remit de sa surprise.

– J'ai demandé à ces oiseaux de nous aider, et ils ont été ravis de le faire, répondit-il très simplement.

Puis il sourit, amusé par nos mines ébahies, et ajouta :

– Comme je l'ai déjà raconté à Pam, au département des Sept Roses nous étudions les langages de toutes les créatures des mondes fantastiques, afin de pouvoir communiquer avec elles. J'ai enfin pu pratiquer la « conversation » !

Nina lui adressa un sourire complice, tandis que Paulina, éperdue d'admiration, s'exclamait :

– Will, tu as été fantastique !

– Mais je n'ai rien fait, tout le mérite leur revient ! dit-il en levant les yeux vers le ciel.

MERCI, LES AMIS !

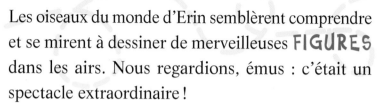
Les oiseaux du monde d'Erin semblèrent comprendre et se mirent à dessiner de merveilleuses **FIGURES** dans les airs. Nous regardions, émus : c'était un spectacle extraordinaire !

Je regrettais de devoir rompre la magie de l'instant, mais le temps filait. Nous devions récupérer le *trésor* et le rendre à Ondefrémissante avant qu'il soit trop tard.

– Allez, il est temps de se mettre en route, dis-je.

PLUS TÔT NOUS TROUVERONS LE TRÉSOR, PLUS TÔT ONDEFRÉMISSANTE SE CALMERA !

– Je sais où ils l'ont dissimulé, intervint immédiatement Nina. Pas de temps à perdre, dans une heure ou deux, les Bonnets-Rouges seront de retour et, une fois que nous aurons récupéré le trésor du roi, nous aurons intérêt à nous éloigner le plus vite possible. Suivez-moi !

Elle se dirigea vers l'intérieur du **CHÂTEAU** délabré, et nous lui emboîtâmes le pas.

VOILÀ LE TRÉSOR !

Nina nous guidait dans les couloirs du château complètement DÉSERT. Aucun garde en vue ! Visiblement, le Grand Mécontent ne craignait pas qu'on découvre sa cachette.

– Comment sais-tu où est DISSIMULÉ son butin ? demanda Pam.

– Un jour, un Bonnet-Rouge qui me gardait s'est mis en colère contre ses compagnons parce qu'ils ne venaient pas le relayer. Il s'est mis à geindre et à s'épancher. Ainsi, il m'a raconté bien des choses...

– Et... il t'a révélé où se trouvait le trésor ? s'étonna Colette.

Nina acquiesça :

– Il était convaincu que je ne parviendrais jamais à m'ENFUIR.

– Heureusement, il se trompait ! ajouta Pam.

Bientôt nous atteignîmes une salle que nous connaissions déjà : **celle du trône !** - - - - - -

– Le trésor est-il ici ? interrogea Nicky.

– Oui, il est dessous, répondit Nina en montrant un point devant nous.

– Comment ça ? Sous le trône ? fit Colette, incrédule.

– Nous ne réussirons jamais à le déplacer ! gémit Violet. Il est en pierre, et il **pèse** des tonnes !

Je m'approchai du trône et le touchai : la pierre n'était pas froide, et elle était extrêmement poreuse. J'eus aussitôt une illumination : c'était de la **PIERRE PONCE !**

Quelque temps plus tôt, j'avais effectué un reportage

sur une carrière de pierre ponce, et j'avais découvert les EXTRAORDINAIRES propriétés de cette roche.

– Les filles, je sais comment faire ! m'exclamai-je.

Tous me fixèrent, attendant que j'explique mon idée, mais je me contentai d'appuyer mes mains contre la pierre et de POUSSER fortement.

Immédiatement le trône bougea.

– Comment as-tu fait, Téa ? dit Pam, éberluée.

– C'est très facile, essaye ! répondis-je en souriant.

Pam s'approcha, posa ses mains et… le trône glissa de nouveau !

– NOM D'UN PISTON GRIPPÉ ! CETTE PIERRE NE PÈSE RIEN !

– C'est donc de la pierre ponce ! conclut brillamment Violet.

– Bien sûr ! renchérit Paulina. Comment n'y ai-je pas pensé plus tôt ?!? C'est la pierre la plus légère du monde, à cause de sa très grande porosité.

– Et on l'utilise pour les soins des pieds ! ajouta

Colette. C'est l'outil indispensable pour avoir des petites mains bien soignées.

– Le Grand Mécontent a été très astucieux : il s'est fait construire un trône qui semble très pesant, mais qui est en réalité très **LÉGER**, fit observer Will. Bravo de t'en être rendu compte, Téa !

Encore une fois, je ramenai le groupe à l'objectif de notre mission.

– Pas de temps à perdre, récupérons le trésor !

Sous le trône se trouvait une mystérieuse **TRAPPE** en bois, sans serrure ni poignée. Comment l'ouvrir ? Nicky eut une idée :

– Servons-nous de ça ! suggéra-t-elle en s'emparant d'une LANCE posée contre un mur.

Elle glissa la pointe entre le pavement et le bois, et fit levier.

Nicky dégagea complètement la planche, et le trésor du roi Ondefrémissante nous apparut dans toute sa *splendeur* éblouissante !

Il nous fallut quelques instants pour nous habituer à l'éclat aveuglant, et enfin nous pûmes contempler le trésor d'Ondefrémissante : un sac plein de PÉPITES d'or.

Il ne nous restait plus qu'à le sortir : nous essayâmes de le **SOULEVER**. Contrairement au trône, le sac était très lourd, mais tous ensemble nous y parvînmes !

– *L'union fait la force !* s'exclama Nicky.

– À présent, allons-y, conclut Colette.

– **ATTENDEZ !** les arrêtai-je.

– Que se passe-t-il, Téa ? me demanda Will.

– Je pense que nous devrions rester ici pour **coฺnvaincre** le Grand Mécontent et son peuple de ne jamais quitter la vallée du Désir, et de renoncer à passer dans la réalité. Il faut à tout prix que l'**ÉQUILIBRE** entre notre monde et le monde d'Erin demeure intact. N'êtes-vous pas d'accord ?

Will, Nina et les filles me donnèrent raison :

Courage, elle s'ouvre !

nous devions nous assurer que les **HABITANTS** du monde d'Erin resteraient chez eux, et surtout qu'ils y soient heureux !

– Comment faire ? demanda Pam.

Après quelques secondes de silence, Violet prit soudain la parole :

– J'ai peut-être une idée… Suivez-moi !

Nous dissimulâmes le **sac** d'or derrière le mur de la salle du trône, et sortîmes. Nous avions hâte de savoir ce que Violet avait en tête.

LE BONHEUR EST À TA PORTE!

Quand nous franchîmes le seuil du château délabré, le soleil, déjà haut dans le ciel, illuminait le *monde d'Erin*.

Violet regarda autour d'elle durant quelques secondes, puis se dirigea vers un arbre près du fleuve. Ses branches, qui retombaient dans l'eau, étaient chargées de FRUITS jaunes et juteux. Elle en cueillit plusieurs et nous les tendit.

– Voyez-vous comme ils sont beaux?

– Ils ont l'air **délicieux**, ajouta Pam.

– Je voudrais recueillir tout ce que ce monde offre de plus magnifique à ses habitants, et le montrer aux Bonnets-Rouges, continua Violet. Je suis certaine qu'ils comprendront que le **bonheur** se trouve ici, autour d'eux.

– Et qu'ils n'ont nul besoin de trésor ! compléta Paulina.

– Cette **idée** est magnifique, approuva Nina. Bravo, Violet !

– Que chacun recueille ce qui le touche particulièrement, proposai-je alors. Nous nous retrouverons ensuite. Mais faites **vite**, je vous en prie ! Les Bonnets-Rouges pourraient revenir d'un moment à l'autre, et il ne faut pas qu'ils nous surprennent !

Nous nous séparâmes donc, et chacun se mit en quête de merveilles.

Reconnaissons que ce n'était pas difficile dans un tel lieu ! Il y avait des **fleurs** de toutes sortes, aux parfums inouïs, des fruits juteux, des oiseaux au plumage multicolore, des **insectes** et des papillons si beaux qu'on les aurait cru peints par un artiste ! Dans le fleuve, Will ramassa des **COQUILLAGES** aux formes insolites. De mon côté, je découvris dans les buissons des **toiles**

d'araignée semblables à
de fines broderies, et des
coléoptères aussi lumineux
que des diamants.

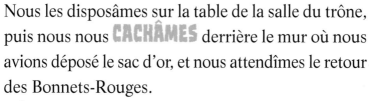

Bref autour de nous, la vie
fleurissait, nous offrant
des bouquets de merveilles.
Quand chacun eut récolté ses
trésors, nous les apportâmes à
l'intérieur du château.

Nous les disposâmes sur la table de la salle du trône,
puis nous nous CACHÂMES derrière le mur où nous
avions déposé le sac d'or, et nous attendîmes le retour
des Bonnets-Rouges.

– Êtes-vous certains qu'il ne vaudrait pas mieux s'en
aller pendant qu'il est encore temps ? s'inquiéta Pam.

– Il est très important que le Grand Mécontent et les
Bonnets-Rouges comprennent qu'ils peuvent trouver
le bonheur ici, expliquai-je, confiante.

Nina et Will m'approuvèrent du regard, et je fus
heureuse de leur appui.

Juste à ce moment, nous entendîmes des **bruits**.

– Ils reviennent! annonça Will.

Peu après, la salle s'emplit de Bonnets-Rouges qui **escortaient** le Grand Mécontent.

Ce dernier s'aperçut immédiatement que quelque chose ne tournait pas rond.

– Aaaaaahhh! Qu'est devenu mon or? hurla-t-il, en se précipitant vers la **TRAPPE** ouverte.

Quand il découvrit que son magot avait disparu, sa fureur explosa.

– Qui a osé s'emparer de mon trésor? Si je le trouve, il s'en repentira!

À ce moment, je décidai de me montrer.

– **C'est moi**, dis-je simplement.

Il me fixa, incrédule.

– Toi? Que fais-tu hors de ta cage? tonna-t-il en jetant un regard menaçant vers ses sbires.

Alors mes amis se montrèrent aussi.

Le Grand Mécontent n'en croyait pas ses yeux.

– Gardes! cria-t-il.

Un groupe de Bonnets-Rouges avança vers nous.

Ils dégainèrent leurs ÉPÉES. Mais je ne me laissai pas intimider.

– Puis-je au moins expliquer pourquoi nous avons pris votre or ?

– Si vous y tenez, mais ensuite vous retournerez en prison !

– L'or que vous avez volé appartient à Ondefrémissante. Il n'est pas à vous. À cause de vous, il est entré dans une fureur terrifiante qui met en danger le monde d'Erin.

– **EN DANGER ?** Mais de quoi parles-tu ? demanda-t-il, interloqué.

Ce fut Will qui lui expliqua :

– Je me nomme Will Mistery, et je viens du monde réel. Depuis des années, j'étudie la géographie des mondes fantastiques. Avec mes collaborateurs, nous avons réalisé des cartes qui représentent et surveillent l'état de ces mondes. Récemment, sur la carte du monde d'Erin est apparue une longue FISSURE. La situation est gravissime !

– Votre univers est en péril, intervint Nina. La **RAGE**

d'Ondefrémissante le détruira si nous ne lui restituons pas son or.

– Pensez-vous sérieusement que je vous laisserai partir avec le trésor ? hurla le Grand Mécontent.

– C'est la seule solution, coupa fermement Nina.

– Admirez donc les merveilles qui vous entourent ! l'exhortai-je en MONTRANT la table au centre de la salle.

Vous êtes tellement occupés à vous plaindre que vous ne remarquez même pas les beautés que vous offre la nature.

À ce moment, Will entonna un chant particulier, qui avait le pouvoir d'établir l'harmonie dans le cœur de n'importe quelle créature.

À l'écoute de cette mélodie, sans doute pour la première fois de sa vie, un sourire

Quelles merveilles !

se dessina sur les lèvres du Grand Mécontent ! Il s'approcha de la table et s'exclama :

– Mais d'où viennent toutes ces splendeurs ?

– Elles sont autour de vous, et vous pouvez les admirer chaque jour, répondit simplement Paulina.

– Il suffit que vous appreniez à observer… ajouta Violet.

– Avec un **REGARD** toujours renouvelé ! conclut Will Mistery, en souriant.

Le Grand Mécontent contempla la table.

– Je ne m'étais jamais… murmura-t-il sans parvenir à finir sa phrase.

– Vous ne vous étiez jamais demandé pourquoi vous étiez mécontent ? complétai-je. Et aviez-vous déjà pensé qu'il était très facile de changer d'humeur ?

Lentement, il secoua la tête, puis, encore plus lentement, un nouveau **SOURIRE** naquit sur son visage. Les Bonnets-Rouges l'imitèrent, et se mirent à sautiller en tous sens.

– Que de beautés ! s'écrièrent-ils, en humant les parfums des fleurs multicolores.

– À présent nous pouvons partir ! déclarai-je, satisfaite.

– Vous ne restez pas parmi nous ? regretta immédiatement le Grand Mécontent.

– Nous devons **restituer** les pépites d'or, expliqua Colette.

– Alors nous vous accompagnerons jusqu'à la cour du roi Ondefrémissante ! s'exclamèrent en chœur les Bonnets-Rouges.

Sur ces mots, le Grand Mécontent se précipita vers Colette et moi, et nous **embrassa** chaleureusement.

Merci ! À présent, je suis vraiment heureux !!!

La cour des Pierres qui parlent

J'étais ravie : nous avions retrouvé Nina, nous rapportions son trésor au roi Ondefrémissante, et nous avions convaincu les Mécontents que le bonheur était à portée de main.

Nous étions en marche, escortés par trois Bonnets-Rouges, vers la cour des Pierres qui parlent, où vivait le roi Ondefrémissante.

J'étais certaine que le roi se calmerait dès que nous lui rendrions son sac de pépites.

Une brusque SECOUSSE de la terre nous fit sursauter. Décidément, il nous fallait hâter le pas !

– C'EST ENCORE LUI, N'EST-CE PAS ? murmura Violet, le visage tendu.

– Je crains que oui. Mais bientôt, tout rentrera dans l'ordre, la rassurai-je.

Je LANÇAI un rapide coup d'œil derrière moi.

Pam et Nicky discutaient de ce qui s'était passé dans la salle du trône, à la cour des Mécontents, Colette regardait autour d'elle et posait des **questions** à Nina, tandis que Paulina et Will conversaient aimablement.

Ils paraissaient vraiment très proches, ces deux-là !

Nous suivions un étroit sentier sur une vaste prairie, dans laquelle je peinais à trouver des POINTS DE REPÈRE, mais nos guides semblaient savoir où ils allaient.

Effectivement, peu après, Nicky lança un cri de surprise.

– Eh, regardez ! s'exclama-t-elle en montrant une **bouche** rocheuse qui s'était soudain ouverte devant nous.

Nous commençâmes à descendre, le souffle coupé !

Seuls nos guides et Nina, qui connaissaient déjà l'endroit, demeurèrent impassibles.

– Voici la COUR DES PIERRES QUI PARLENT, nous expliqua Nina. C'est là que vit Ondefrémissante. Je ne vous ai pas encore révélé que les habitants de ces lieux sont des **ogres**.

Colette écarquilla les yeux.

Des ogres ? Ces créatures gigantesques et monstrueuses ?

– Oui, ce sont eux. Ils n'ont pas un aspect très engageant, et ils sont énormes, mais ils savent se montrer accueillants, précisa Nina avec un _sourire_ énigmatique.

– Voilà une excellente nouvelle, répliquai-je.

– Au fond, nous allons leur restituer le sac d'or, observa Paulina. Ils seront donc **ravis** de notre venue !

Pour ma part, j'étais assez confiante quant aux réactions de la cour. J'**_ENCOURAGEAI_** donc les autres :

– Allons-y ! Notre mission touche à son but !

LE LABYRINTHE DE PIERRE

Nous descendions dans cette gorge abrupte, en suivant des **sentiers** qui cheminaient à travers des tunnels et galeries taillés dans la pierre. Les parois rocheuses semblaient se pencher vers nous, comme si elles voulaient nous écraser.

— Heureusement, ces **ROCHES** sont immobiles, observa Pam pour se rassurer.

À ce moment précis, une voix résonna. Elle était si profonde et caverneuse, qu'elle nous fit tous sursauter.

— **POURQUOI ÊTES-VOUS VENUS EN CES LIEUX ?**

Nous nous tournâmes aussitôt vers les parois de la grotte, mais il n'y avait personne.

— **QUI A PARLÉ ?** lança Nina.

— C'est nous ! tonna encore la voix.

Nous comprîmes alors qu'elle provenait des **PIERRES**.

– Voila qui explique le nom
de ce lieu : la cour des Pierres
qui parlent ! conclut Nicky.
Mais elles sont INOFFENSIVES,
n'est-ce pas ? demanda-t-elle aux
Bonnets-Rouges.
Ceux-ci acquiescèrent.
– C'est ici qu'habite le roi, dit
l'un des trois en montrant une
large grotte.
Je m'approchai de l'entrée.
Je fus immédiatement frappée par un courant d'AIR
glacé, et une odeur intense
de musc.
– Que cherchez-vous ?
nous interrogea encore
la voix.
– Nous souhaitons ren-
contrer Ondefrémis-
sante, dis-je.

Qui a parlé ?

– *IMPOSSIBLE !* gronda la voix.

– Nous avons quelque chose qui lui appartient et que nous voudrions lui rendre, argumenta Nina.

La pierre se tut quelques instants, puis s'exclama :

– *ENTREZ !*

Je lançai à Nina un coup d'œil interrogatif, et elle me rassura aussitôt :

– Je suis venue dans cet endroit, avant d'être CAPTURÉE. Je crois que les pierres m'ont reconnue. D'après mes recherches, les Pierres qui parlent sont les gardiennes de la cour d'Ondefrémissante. Leur aspect et leurs manières brusques effrayent au premier abord, mais j'ai constaté qu'elles savent aussi être aimables.

– Merci, Nina. Tes études sur le monde d'Erin sont vraiment passionnantes !

– Je serai ravie de les partager avec toi, Téa !

– Certainement, dès que nous serons de retour chez nous. Maintenant, entrons !

– **NOUS VOUS ATTENDRONS ICI**, déclara alors un des Bonnets-Rouges.

Nous les regardâmes, étonnés.

– Pourquoi ? demanda Will.

– Nous avons volé le trésor du roi. Il est sûrement furieux contre nous… expliqua le second.

– Mais nous allons le lui restituer, objecta Paulina.

– Mieux vaut ne pas prendre de risque. D'autant plus qu'à présent, nous sommes devenus **contents** ! plaisanta le troisième.

– Comme vous voulez. Entrons, les amis ! lançai-je en m'adressant aux autres.

Nina était prête.

Will me fit un signe d'acquiescement. Je pris une profonde inspiration, et franchis le seuil de la grotte. L'intérieur de la caverne baignait dans une sinistre **pénombre**, à laquelle mes yeux mirent quelques instants à s'accoutumer. Je distinguai ensuite un corridor de pierre nue.

Nina ouvrait la marche.

– La structure de ces **grottes** est d'une grande complexité : pleines de corridors qui montent et descendent, à travers une multitude de petites salles.

– *C'est un vrai labyrinthe !* commenta Pam.

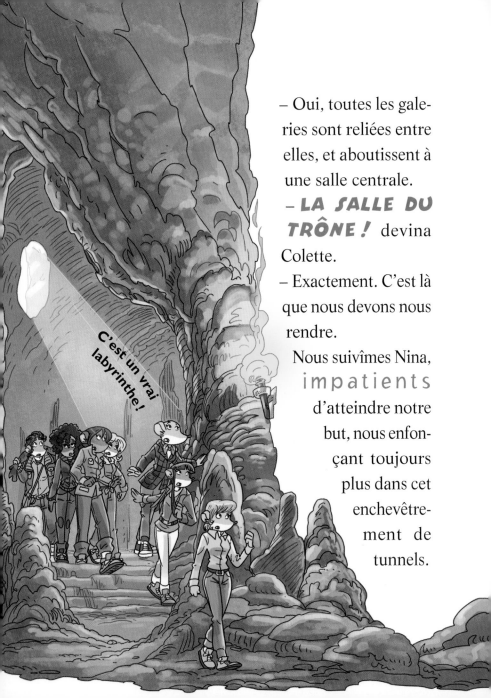

– Oui, toutes les galeries sont reliées entre elles, et aboutissent à une salle centrale.

– *LA SALLE DU TRÔNE !* devina Colette.

– Exactement. C'est là que nous devons nous rendre.

Nous suivîmes Nina, impatients d'atteindre notre but, nous enfonçant toujours plus dans cet enchevêtrement de tunnels.

C'est un vrai labyrinthe !

LE ROI
ONDEFRÉMISSANTE

– Nous devrions arriver bientôt, nous avertit Nina.
Nous cheminions depuis un bon moment. La faible
lumière du jour avait fait place à celle
des *FLAMBEAUX* accrochés aux parois
de la caverne. L'air était encore frais,
mais se *RÉCHAUFFAIT* au fur et à
mesure que nous nous enfoncions dans
les tunnels. Sous nos pieds, la terre
frémissait, et cette vibration perma-
nente nous inquiétait. Qu'est-ce qui nous
attendait ?
Nous le découvririons bientôt…
Nous avancions toujours à travers ce
labyrinthe de corridors taillés dans
la roche, jusqu'à ce que nous débou-
châmes dans une vaste salle, au plafond

en coupole, entièrement creusé dans une pierre grise aux reflets rougeâtres.

Tout autour, des *TORCHES* flamboyantes, comme celles qui nous avaient guidés jusque-là, étaient suspendues aux parois…

Leur scintillement éclairait la silhouette d'une **ÉNORME** créature, assise sur un **ÉNORME** trône, qui tenait un **ÉNORME** trident. Nous distinguâmes son visage, avec une longue barbe hirsute et deux yeux noirs comme du charbon.

– C'est Ondefrémissante… chuchota Nina, qui l'avait déjà rencontré.

Le roi souleva son trident puis **PERCUTA** puissamment le sol. Autour de nous, la roche trembla.

– Voilà donc la cause des séismes ! C'est véritablement la colère d'Ondefrémissante qui **SECOUE** la terre ! s'exclama Will Mistery.

Puis il me lança un regard anxieux. Je décidai de m'adresser au roi.

J'avançai d'un pas, et m'**INCLINAI**.

– Ô roi Ondefrémissante, nous sommes venus de très loin… Notre voyage fut long et **PÉRILLEUX**, mais rien n'a pu nous arrêter, car notre but était de réparer une injustice.

Le roi me fixa de ses **YEUX** étincelants, mais garda le silence.

Je poursuivis donc :

– Cette ignominie à laquelle nous voulons remédier, c'est le vol de votre tré/or…

L'**écho** de la grotte renvoya mes derniers mots : *trésor… or… or…*

Le roi bondit sur ses pieds, et frappa le sol avec son trident. À nouveau, la terre trembla fortement.

Puis Ondefrémissante tonna :

– **LE TRÉSOR DES OGRES… MON TRÉSOR !**

Will Mistery comprit immédiatement la gravité de la situation, et se dépêcha de tendre au roi le sac d'or. Ondefrémissante lui lança un regard oblique et saisit le sac.

Un instant plus tard, les pépites libérèrent des

bouquets de rayons dorés, qui illuminèrent toute la grotte.

Cette fois, d'une voix vibrante de bonheur, le roi répéta :

– Le trésor des ogres !

Quand l'éclat aveuglant commença à baisser, nous constatâmes, éberlués, que les PÉPITES avaient disparu des mains du roi, pour faire place à une gigantesque couronne d'or.

Le roi la plaça sur sa tête et nous sourit.

– Justice est faite ! MERCI, QUI QUE VOUS SOYEZ, MERCI ! Vous avez rendu au roi des ogres son trésor le plus précieux : cette couronne, transmise de père en fils, est conservée depuis mille ans dans notre royaume. J'avais perdu mon honneur et vous me l'avez restitué. Je ne l'oublierai jamais !

Nina rassembla son courage et demanda au roi :

– Sire, pourriez-vous nous expliquer cette trans-formation surprenante ?

Le souverain réfléchit, puis nous sourit encore une fois.

– En me rapportant le trésor, vous avez fait la preuve de votre loyauté. Je vous révélerai donc le très ancien **secret** du royaume des ogres… Cet objet n'est autre que la légendaire couronne du monde d'Erin. Quand elle a été volée, elle s'est magiquement transformée en un tas de pépites d'or, afin que personne ne puisse la porter. Selon les anciennes lois du *monde d'Erin*, seul le roi des ogres peut endosser cette couronne.

– Est-ce la raison pour laquelle vous êtes entré dans une telle **colère** quand elle a été volée ? demanda Nina.

– Bien sûr, acquiesça-t-il. Les fondements même du monde d'Erin étaient en **DANGER** !

Ondefrémissante posa son trident au sol, et la roche vibra une dernière fois.

– À présent, chers étrangers qui êtes venus de si loin, je n'ai plus besoin de secouer la terre : la paix régnera à nouveau sur le monde d'Erin, ainsi que dans votre univers !

Puis, le roi nous accompagna jusqu'à la sortie de la caverne. Il était tellement heureux qu'il ne chercha même pas à savoir qui avait dérobé son trésor.

Quant à nous, nous fûmes ravis de garder le secret !

OH, NON !

Une fois sortis de la caverne d'Ondefrémissante, nous relatâmes brièvement aux Bonnets-Rouges notre entretien avec le roi, en passant sous silence le secret de la COUrONNE d'or. À présent, tout le monde était content : c'était l'essentiel !

Nous saluâmes nos trois amis, qui se dirigèrent pleins d'entrain vers la vallée du Désir, pour rendre compte au Grand Mécontent du SUCCÈS de leur mission. Puis, grâce à la carte de Will, nous nous mîmes en route pour rentrer chez nous.

Will souhaitait voir de ses propres yeux le passage qui reliait le monde d'Erin à l'Irlande. Nous prîmes donc la direction du PORTAIL DE LUMIÈRE, par lequel nous étions passées, Nina et moi. Nous avions une grande distance à parcourir, et nous avançâmes donc d'un bon pas, sans faire de halte.

Nous étions tous impatients de **RENTRER** chez nous, et de mettre nos sensationnelles découvertes à la disposition du département des Sept Roses. Les Téa Sisters étaient heureuses, mais déjà un peu nostalgiques : cette aventure dans le monde d'Erin s'était révélée *palpitante*, et elles auraient préféré continuer à œuvrer avec Will et Nina plutôt que de se replonger dans leurs livres de classe.

– Les filles, je crois que vous êtes prêtes pour une **promotion** au sein du département, annonça soudain Will. J'ai un projet pour vous, ajouta-t-il, comme s'il avait lu dans leurs pensées. Qu'en penses-tu, Téa ? Et toi, Nina ? Aimerais-tu continuer à **collaborer** avec nos amies ?

Nina et moi, nous nous exclamâmes à l'unisson :

– Excellente idée, Will !

Les **Téa Sisters** étaient au comble du bonheur : elles ne s'attendaient pas à ce que la mission dans le monde d'Erin s'achève par une telle surprise !

– Évidemment, le travail que vous effectuerez pour le département des Sept Roses ne devra pas compromettre vos **études** au collège, ajouta aussitôt Will, d'un ton grave. Pensez-vous parvenir à concilier les deux?

Un chœur de «Ouiiiii» résonna dans le ciel d'Erin, et les jeunes étudiantes s'embrassèrent, enthousiastes. Leur ÉNERGIE était telle, qu'elles se sentaient prêtes à affronter n'importe quel défi!

Le ciel commençait à s'obscurcir quand nous parvînmes à destination. Nina et moi INSPECTÂMES les alentours à la recherche du portail de lumière, en vain. Nous étions quelque peu désorientées.

_Pourtant c'était bien là... murmura Nina en passant la main sur la paroi rugueuse de la roche.

– Oh, non! gémis-je, comprenant soudain ce qui s'était passé. O'Malley n'a sans doute pas réussi à maintenir le FEU allumé, et le passage se sera refermé.

Nous cherchâmes encore un peu, mais sans illusion: la paroi rocheuse qui se dressait devant nous était absolument hermétique. Aucune trace du portail

de lumière et de la **grotte** sur laquelle
il s'ouvrait.

– *Pauvre O'Malley*, murmurai-je.
J'espère qu'il ne lui est rien arrivé
de fâcheux.

– O'Malley est un **agent** expé-
rimenté, il a certainement su se
débrouiller. Mais qui sait ce qui
a pu se passer…

Le passage s'est refermé !

– Il a certainement fait tout son possible pour maintenir l'ouverture du passage. Et maintenant il doit s'**inquiéter** pour toi, Téa, fit remarquer Paulina.

– Qu'allons-nous faire, maintenant ? s'enquit Colette.

– C'EST SIMPLE ! répondit Will. Nous utiliserons le portail secret, qui nous conduira tous dans la SALLE DES SEPT ROSES !

RETOUR DANS LE RÉEL

Will nous demanda de nous disposer en cercle et de fermer les yeux. Puis il entonna une étrange *mélodie*, qui passait des sonorités graves aux aiguës, faisant vibrer l'air autour de nous. Quand il se tut, il y eut un instant de silence.

Puis nous ouvrîmes les yeux et... stupeur : nous étions en train de **VOYA-GER** dans l'ascenseur de cristal, franchissant allègrement les barrières **SPATIO-TEMPORELLES** entre le monde d'Erin et la réalité. L'émotion me coupait le souffle. **C'ÉTAIT UNE EXPÉRIENCE SURRÉELLE !**

Une musique harmonieuse, entrecoupée d'un chant qui répéta sept fois « 𝒮𝑒𝓅𝓉 𝑅𝑜𝓈𝑒𝓈 », nous fit comprendre que nous étions parvenus à destination.

L'ascenseur s'arrêta, la porte s'ouvrit, et nous nous retrouvâmes dans la salle des Sept Roses.

– *Quel bonheur d'être de retour chez soi !* soupira Nina.

Mon attention fut immédiatement attirée par les cartes des mondes fantastiques qui recouvraient le sol et le plafond de la salle.

– Regardez ! m'exclamai-je, émue. Voilà celle du monde d'Erin !

– La FISSURE a disparu ! exulta Paulina.

Les Téa Sisters s'approchèrent pour observer de plus près. Leurs yeux brillaient de **bonheur** d'avoir contribué à sauver ce monde fantastique.

– Les filles, au nom de tout le département des Sept Roses, je veux vous exprimer nos remerciements. Sans vous, la MISSION n'aurait pas connu une issue aussi brillante !

Les Téa Sisters **rougirent**, tandis que Will poursuivait :

– Comme je vous l'ai dit, je veux vous proposer une promotion. Que diriez-vous de devenir *enquêtrices juniors* auprès de notre département ?

Paulina jeta un coup d'œil à ses amies et répondit au nom de toutes :

– NOUS EN SERIONS TELLEMENT HONORÉES !

– Très bien ! Cela signifie que vous pourrez **assister** Téa, Nina, ou n'importe quel autre chercheur dans de prochaines missions. Il est aussi possible que l'on vous confie des travaux simples à effectuer toutes seules. À présent, vous connaissez bien les méthodes et le code éthique de notre institut. La **confidentialité** est la valeur cardinale, avec la loyauté et le sérieux dans la conduite des investigations. N'oubliez pas que notre département est une grande **FAMILLE** : nos agents sont dispersés dans le monde entier, et ils sont toujours prêts à donner un coup de main à leurs collègues !

Le silence qui suivit fut chargé d'*émotion*.

J'étais sur le point de verser une larme : j'étais si fière de mes étudiantes !

Ce fut Nina qui détendit l'atmosphère en lançant joyeusement :

– QUE DIRIEZ-VOUS D'ORGANISER UNE PETITE FÊTE POUR CÉLÉBRER L'ÉVÉNEMENT ?

ENFIN À LA MAISON !

– Quel voyage palpitant ! soupira Pam, quand le **HORS-BORD** du département des Sept Roses accosta au port de l'île des Baleines.

– Nous avons vécu une aventure vraiment incroyable, renchérit Nicky.

– Et maintenant mes *cheveux* méritent un bon soin à l'huile d'olive ! conclut Colette.

– Nous avons toutes besoin d'un peu de repos. Mais d'abord je voudrais vous FÉLICITER, les filles : je suis tellement fière de vous ! leur dis-je.

– Merci, Téa. Nous savons que l'union fait la force ! clama Paulina.

– *Alors nous sommes invincibles !* plaisanta Pam.

Nous éclatâmes toutes de rire. Notre bonne humeur était palpable.

Tandis que nous longions le port pour retourner au

collège, l'imposant **YACHT** de Vanilla de Vissen
aborda sur le quai. Peu après, elle en descendit,
arborant comme d'habitude un air supérieur.

– Où étiez-vous passées ? demanda-t-elle aux Téa
Sisters.

En me voyant, elle ne put s'empêcher d'ajouter :

– Vous avez accompagné Téa pour sa mission en
Irlande ?

Les filles échangèrent un **COUP D'ŒIL** incrédule…
Comment était-elle au courant de mon aventure
irlandaise ?

– Et toi, Vanilla, étais-tu en vacances ? intervins-je alors pour changer de sujet.

– Oui ! J'ai tellement bien réussi mes **examens** que mes parents m'ont offert un voyage en récompense !

– BRAVO, VANILLA ! la félicitai-je.

Puis j'ajoutai d'un ton soudain sévère :

– D'ailleurs, je souhaiterais avoir un petit entretien avec tes parents…

– À quel propos ?

– Au sujet de ta fâcheuse tendance à espionner les conversations d'autrui… Tu sembles très au courant de ma mission en Irlande. Pourtant je ne me souviens pas de t'en avoir parlé !

Elle devint rouge comme une tomate.

– Mais je… voilà…

À ce moment précis, je posai mon regard sur les **VALISES** de Vanilla, et je sursautai légèrement. Elle en profita pour s'éclipser.

– Que se passe-t-il, Téa ? me demanda Paulina.

– Eh bien… je réalise soudain que j'ai oublié mes bagages en Irlande ! Et puis il faudrait que je rende visite à un ami, l'agent O'Malley : je l'ai quitté de manière un peu… hâtive ! ajoutai-je en lançant un clin d'œil complice aux Téa Sisters. Je vais devoir retourner là-bas.

– L'Irlande doit être un pays magnifique… murmura Nicky d'un ton rêveur.

– Mais j'y pense : pour vous aussi les examens se sont très bien passés, n'est-ce pas ? dis-je soudain aux filles.

Elles acquiescèrent.

– Vous méritez donc aussi un VOYAGE !

Les Téa Sisters exultèrent :

– HOURRA ! COURONS NOUS PRÉPARER !

Et c'est ainsi que nous partîmes pour l'Irlande, afin de conclure toutes ensemble cette fantastique aventure !

Journal du monde d'Erin

À celui ou celle qui lira ce journal

Qui que tu sois, amie ou ami, sache que ces pages
racontent tout ce que j'ai vu et vécu dans
le monde fantastique d'Erin, une terre extraordinaire,
peuplée de personnages fascinants.

Parmi ces créatures enchantées, certaines
sont douces et aimables, d'autres un peu agaçantes,
d'autres encore maladroites ou étourdies,
et quelques-unes franchement malfaisantes.

Afin de pousser mes recherches une fois
que je serai de retour au département des Sept Roses,
j'ai décidé de noter dans ce journal tout ce que
j'ai découvert à Erin : les lieux où vivent les fées, les elfes,
les lutins, leurs histoires, et leurs aventures époustouflantes.

Conserve comme un trésor précieux les secrets
que tu liras dans ces pages, et souviens-toi : les mystères
des mondes fantastiques ne sont accessibles qu'à ceux
qui ont le courage de rêver avec toute la force de leur cœur.

À présent suis-moi :
le monde fantastique d'Erin t'attend !

Que le voyage commence !

Nina

Une fleur du
monde d'Erin

Les fées

Je n'oublierai jamais ma première rencontre avec les fées. J'étais sur les berges d'un lac, quand me sont apparues trois superbes jeunes filles : les fées du lac ! En conversant avec elles, j'ai appris que de nombreuses fées vivent à Erin. Toutes sont entourées d'un halo de magie et de mystère.

Les trois fées, enfants

Les fées du lac

Les trois fées du lac naquirent le premier jour d'un lointain printemps, des entrailles d'une nymphe. Elles veillent sur le lac, et protègent dans ses eaux les secrets d'Erin.

Sous la surface du lac des fées se trouve une petite porte en or : c'est l'entrée de leur château magique ! Pour l'atteindre depuis la surface, les fées utilisent une embarcation spéciale, entièrement en or !

On raconte qu'un jour, un jeune berger a aperçu la barque d'or, avec une des fées à son bord. Il en tomba éperdument amoureux. Mais la barque s'immergea, et il ne revit jamais plus la fée.

Barque enchantée en or

Les fées banshees

Les banshees sont des fées messagères.
Ce sont des créatures superbes mais
tristes. Elles passent une grande partie
de leurs journées à pleurer.

Banshee joyeuse

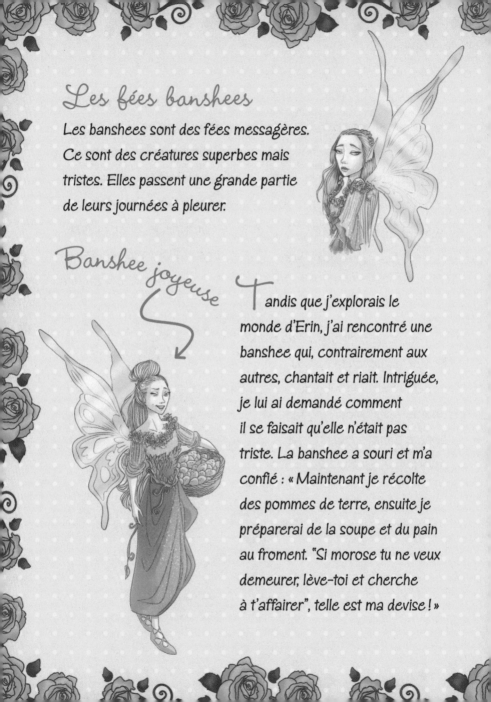

Tandis que j'explorais le
monde d'Erin, j'ai rencontré une
banshee qui, contrairement aux
autres, chantait et riait. Intriguée,
je lui ai demandé comment
il se faisait qu'elle n'était pas
triste. La banshee a souri et m'a
confié : « Maintenant je récolte
des pommes de terre, ensuite je
préparerai de la soupe et du pain
au froment. "Si morose tu ne veux
demeurer, lève-toi et cherche
à t'affairer", telle est ma devise ! »

Les fées selkies

Les selkies ressemblent à des sirènes. Durant les nuits
de pleine lune, elles nagent vers les plages désertes.
Une fois sur le sable, elles se dépouillent de leur queue
de poisson et se transforment en jeunes filles. Toutefois,
elles doivent se souvenir où elles ont caché leur queue : sinon
elles ne pourraient jamais retrouver leur foyer, dans la mer !

Les fées de l'air

Les fées de l'air sont
des créatures minces et gracieuses,
qui savent enchanter le monde
grâce au son de leur flûte.

Flûte magique

Les fées de l'eau

Les fées de l'eau sont
d'extraordinaires danseuses.
Elles portent des tutus
en byssus, une étoffe
précieuse dont on
recueille la fibre
dans des coquillages
du monde d'Erin.

Les fées du feu

Après mon voyage dans le monde d'Erin, je ne regarderai plus de la même façon les lucioles ! Pourquoi ? Parce que j'ai découvert que dans ces petits insectes lumineux se dissimulaient les merveilleuses fées du feu !

Boomerang argenté

Les fées de la terre

Les fées de la terre sont très joueuses. Elles adorent lancer dans la forêt un très beau boomerang argenté, en évitant les troncs d'arbre : elles sont très habiles !

Le palais des fées

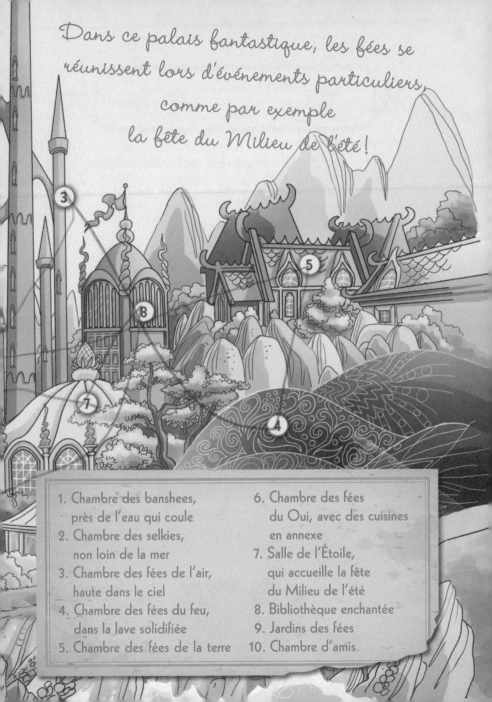

Dans ce palais fantastique, les fées se réunissent lors d'événements particuliers, comme par exemple la fête du Milieu de l'été !

1. Chambre des banshees, près de l'eau qui coule
2. Chambre des selkies, non loin de la mer
3. Chambre des fées de l'air, haute dans le ciel
4. Chambre des fées du feu, dans la lave solidifiée
5. Chambre des fées de la terre
6. Chambre des fées du Oui, avec des cuisines en annexe
7. Salle de l'Étoile, qui accueille la fête du Milieu de l'été
8. Bibliothèque enchantée
9. Jardins des fées
10. Chambre d'amis

Les bijoux des fées

Voici quelques-uns des merveilleux bijoux confectionnés par les fées. Quel est celui que tu préfères ?

La fée de l'eau qui a fabriqué cet anneau a choisi une perle issue d'un coquillage irisé, d'une délicate nuance argentée.

Anneau de la fée de l'eau

Ce bracelet appartient à une fée du feu. Il est réalisé en lave, et ne pèse presque rien !

$\mathcal{L}$es fées de la terre aiment se parer de bijoux simples et naturels, comme ce collier de bois.

$\mathcal{L}$es banshees sont orgueilleuses et apprécient beaucoup les pierres précieuses. Celle qu'elles préfèrent est le saphir. On dit qu'il a un effet calmant sur celui qui le porte.

Cette épingle à cheveux a été confectionnée en pâte à pain par les très habiles fées du Oui !

Les pierres précieuses des fées

Durant mon séjour à Erin, les fées m'ont beaucoup appris sur les propriétés des pierres précieuses. Elles m'ont aussi révélé quelques éléments insolites...

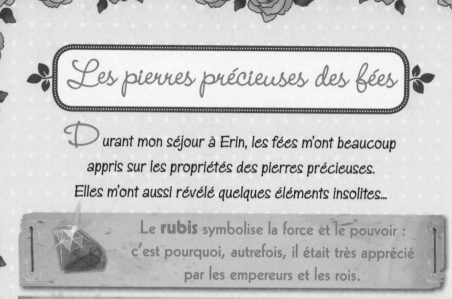

Le **rubis** symbolise la force et le pouvoir : c'est pourquoi, autrefois, il était très apprécié par les empereurs et les rois.

L'**émeraude** est une pierre mystérieuse. Les anciens pensaient que sa poudre était un antidote efficace contre le poison des serpents.

Le **diamant** est un symbole de réconciliation entre les amis, les amoureux et les parents. C'est la pierre à offrir pour se faire pardonner !

L'**améthyste** représente la force d'âme. Au Moyen Âge, les rois et les nobles l'utilisaient pour montrer leur pouvoir.

Le **saphir** est associé à l'harmonie et à la sympathie. Il symbolise la fidélité, c'est pourquoi on le trouve souvent sur les anneaux de fiançailles.

On dit que chaque pierre possède une nature particulière. Je me suis donc amusée à imaginer à quel caractère humain chacune pouvait correspondre !

Le *rubis* sied aux caractères forts et courageux, toujours en mouvement.

L'*émeraude* exprime l'espérance et l'optimisme. Elle convient aux personnes joyeuses, qui aiment s'amuser.

Le *saphir* est la pierre de la sincérité. Ceux qui l'apprécient ne savent pas mentir.

LES CINQ PIERRES

Le *diamant* plaît aux personnes raffinées, qui veulent briller en société.

L'*améthyste* s'accorde aux caractères silencieux et méditatifs, qui n'aiment pas l'agitation.

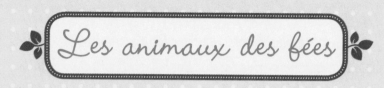

Les animaux des fées

Dans le splendide parc qui entoure le palais des fées vivent de nombreux animaux fantastiques. En voici quelques-uns !

J'ai rencontré le grand cerf aux bois d'argent qui monte la garde devant le palais des fées.

Il est très courageux !

Ce sympathique petit poisson aux écailles cuivrées est le gardien des secrets des fées. Celles-ci lui font confiance car il n'existe pas de créature plus discrète dans tout le royaume !

Les petits lapins étoilés sont les compagnons des fées. Ils sont joyeux et adorent les câlins ! Ils dégagent un parfum de barbe à papa.

Ils sont friands de carottes.

Les putois immaculés s'occupent du ménage. Ils sont sympathiques et farceurs. Parfois un peu étourdis, il leur arrive de renverser des objets, mais les fées sont très patientes !

Ils dépoussièrent la salle de l'Étoile avec leur queue.

Secrets de beauté... enchantés !

Un jour que j'étais un peu lasse, une fée m'a proposé une séance de soin de beauté. Je n'imaginais pas à quel point ce serait relaxant !

Masque purifiant au citron et au miel

Ingrédients : 1 citron, 2 cuillères de miel.

Ajoute le miel au jus du citron, et mélange bien. Applique le masque sur le visage, pendant 10 minutes, en prenant garde de ne pas t'en mettre dans les yeux. Puis rince à l'eau tiède : ta peau sera aussi lumineuse que de la poussière d'étoile !

En été, ajoute 3 feuilles de menthe hachées pour un effet super-rafraîchissant !

Soin nourrissant pour les cheveux

Ingrédients : 1 cuillère de yaourt blanc, 1 cuillère de miel, 1 demi-cuillère d'huile d'amande douce, 1 cuillère de vinaigre de pomme.

Mélange bien le tout, et applique-le sur les cheveux, en insistant sur les pointes. Au bout de 15 minutes, rince à l'eau tiède mélangée au vinaigre de pomme. Ta chevelure sera souple et brillante comme des ailes de fée !

Soin pour mains de fée

Ingrédients : 2 branches de céleri, 5 feuilles de laurier.

Avec l'aide d'un adulte, fais bouillir dans une casserole le céleri et le laurier pendant 7 minutes, puis laisse un peu refroidir. Dès que l'eau est tiède, trempe les mains dedans pendant 5 minutes, puis sèche-les. Ensuite, applique une crème nourrissante.

Idéal pour se protéger les mains en hiver !

Rouge à lèvres fait maison

Ingrédients : 1 cuillère de beurre de karité, 1 petit morceau de betterave bouillie.

Avec l'aide d'un adulte, mixe la betterave et ajoute-la au beurre de karité, en mélangeant bien. Place la pâte obtenue dans une petite boîte avec couvercle et… ton rouge à lèvres est prêt ! Tu pourras le conserver au réfrigérateur pendant quelques jours. Si tu souhaites une teinte plus foncée, remplace la betterave par du chocolat, que tu auras fait fondre au bain-marie !

TEST

À quelle fée ressembles-tu ?

*L*es fées d'Erin ont des caractères très divers.
Veux-tu découvrir à laquelle tu ressembles ?

 1. Tu te promènes dans une prairie fleurie : les oiseaux gazouillent et la brise te caresse le visage.

Tu cueilles une fleur...

a. **Rouge comme le feu !**

b. **Bleue comme le ciel !**

c. **Blanche comme la neige !**

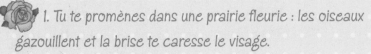

2. Qu'aimerais-tu accomplir si tu étais une fée ?

a. *Explorer des mondes fantastiques.*

b. *Bâtir une maison de rêve.*

c. *Étudier la magie pour faire le bien.*

3. Si quelqu'un se moque de toi parce que tu as raté un sortilège, tu :

a. **Le transformes en gros crapaud.**

b. **L'ignores et continues à travailler ton sortilège.**

c. **Souris et lui demandes de t'aider.**

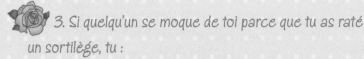

4. Un formidable ami est…

a. Le plus courageux de tous.

b. Celui qui te fait rire et qui est toujours de bonne humeur !

c. Celui qui ne te trahit jamais.

5. En quel animal aimerais-tu être transformée ?

a. En licorne argentée.

b. En rossignol doré.

c. En lapin étoilé.

Solutions

Majorité de réponses A

Tu ressembles à une fée du feu : tu es vive, pleine d'énergie, tu aimes l'aventure et… tu ne crains pas le danger !

Majorité de réponses B

Ta personnalité s'approche de celle des fées du lac : tu es rêveuse, parfois tu te perds dans tes pensées et tu deviens mystérieuse.

Majorité de réponses C

Comme une selkie, tu es bonne et généreuse, tu apprécies la simplicité, et ce que tu préfères, c'est la compagnie de tes amis.

Les elfes

J'ai passé des journées de détente et de plaisir auprès des elfes. Ils vivent en harmonie avec la nature, savent lire dans l'âme d'autrui et apprécient la sincérité. En gage d'amitié, ils m'ont offert un anneau en hêtre, symbole de la connaissance.

Anneau en hêtre

Les elfes de lumière

Les elfes de lumière sont infiniment gracieux : durant les nuits de printemps, ils aiment danser dans les prés humides de rosée.

Les elfes du crépuscule

Les elfes du crépuscule vivent dans les cavités creusées au pied des collines. Ils sont aimables avec les bergers et les aident à découvrir des trésors.

Les elfes des bois

Les elfes des bois sont doux et patients. Ils aiment la nature et les animaux. Ce sont d'habiles archers.

Ce sont d'habiles archers.

Les elfes de l'eau

Les elfes de l'eau ont des voix mélodieuses. Leurs chants sont inoubliables.

Les *elfes du crépuscule* habitent dans des demeures complètement enterrées. C'est pourquoi il est difficile de les trouver.

Dissimulés dans les buissons d'aubépine vivent les *elfes de lumière*. Ils sont assez fuyants, et il n'est pas aisé de les approcher.

Les elfes des bois m'ont invitée dans leur maison-arbre.
On y pénètre par un orifice du tronc, et on découvre
un véritable palais ! Un œil non averti aura du mal
à distinguer leur logis, car dès que les elfes entendent
quelqu'un approcher, ils éteignent les lumières et font silence
jusqu'à ce que l'intrus s'en soit allé.

Parmi les pierres du torrent se dissimulent les demeures
des elfes de l'eau. Elles sont bien cachées,
et personne, à part eux-mêmes, n'y est jamais entré.

La vie des elfes

Les elfes des bois connaissent tous les secrets des plantes et des animaux. Au cours de mon séjour chez eux, ils m'en ont révélé quelques-uns !

Parfois, dans les bois d'Erin, on trouve des arbres marqués d'un X : les elfes indiquent ainsi qu'il s'agit d'arbres malades, qui ont besoin de soins et d'amour. Tout le monde peut ainsi devenir ami des arbres !

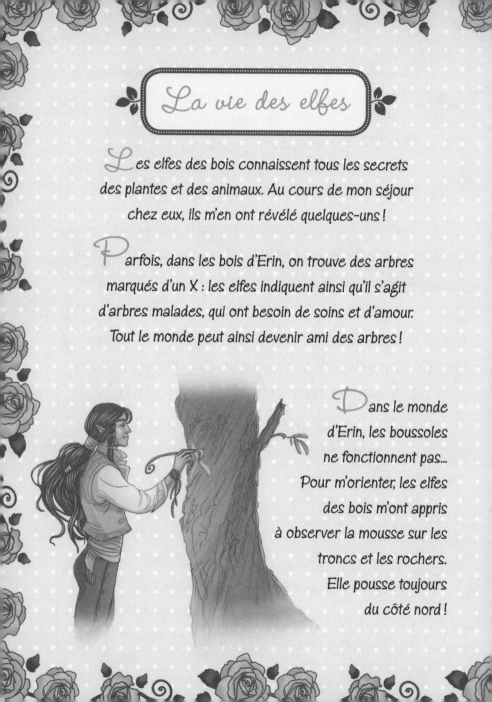

Dans le monde d'Erin, les boussoles ne fonctionnent pas... Pour m'orienter, les elfes des bois m'ont appris à observer la mousse sur les troncs et les rochers. Elle pousse toujours du côté nord !

Curiosités sur les elfes

On m'a rapporté certains détails insolites à propos des elfes. J'ignore s'ils sont véridiques... mais en tout cas ils sont amusants !

1. Les elfes aiment se confectionner des habits pour leurs fêtes dansantes, en particulier des chapeaux qui ressemblent à des champignons. Si bien qu'il existe à Erin un champignon qui porte le nom de « chapeau d'elfe » !

2. Les elfes sont très habiles pour faire des nœuds. On dit que ce sont eux qui emmêlent les cheveux des gens et les crinières des chevaux... Quels farceurs !

3. À Erin, on raconte qu'à côté d'une fleur à peine éclose se tient toujours un elfe qui joue de la harpe !

Les elfes sont des créatures timides et sensibles : si vous en rencontrez un, approchez-le avec précaution.

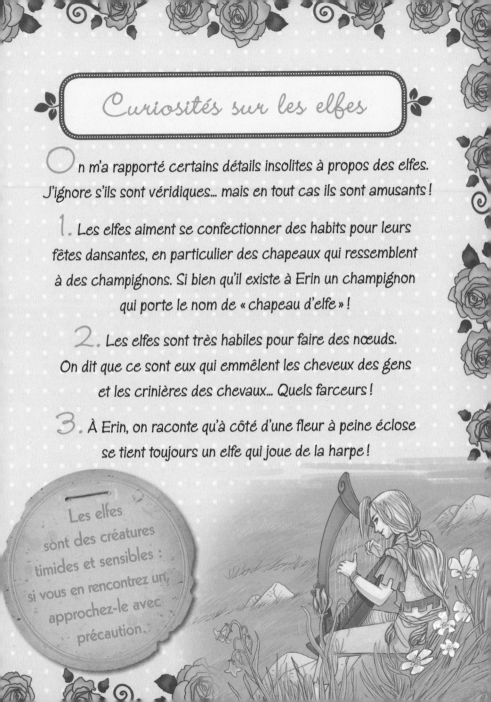

Les elfes aiment vivre en groupe, s'amuser et festoyer, danser et chanter.

Les boissons parfumées des elfes sont délicieuses, en particulier celle à la menthe et au citron sauvage !

Les elfes sont végétariens. Ils connaissent plus de mille recettes pour cuisiner les légumes.

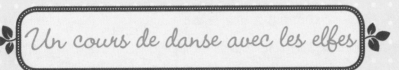

Un cours de danse avec les elfes

$\mathcal{L}$es elfes des bois m'ont enseigné leurs pas de danse... C'était très amusant !

Pas 1
Ouvre la pointe du pied droit vers la droite, et reviens.

Pas 2
Frappe le pied gauche à terre.

Pas 3
Ouvre la pointe du pied gauche vers la gauche, et reviens.

Pas 4
Frappe le pied droit à terre.

Pas 5
Déplace le pied droit à droite.

Pas 6
Ramène le pied gauche.

Pas 7
Déplace le pied gauche à gauche.

Pas 8
Ramène le pied droit.

Pas 9
Passe le pied gauche derrière le droit et saute.

Pas 10
Passe le pied droit derrière le gauche et saute.

Pas 11
Avance d'un pas avec le pied droit

Pas 12
Ramène le pied gauche auprès du droit.

Dans cette pièce, les elfes des bois ont laissé des objets qui ne sont pas à leur place. Quels sont-ils ?

Deux elfes presque identiques

À Erin, j'ai fait la connaissance de Bor
et de Brandir, deux elfes de lumière, jumeaux,
semblables en tout, à l'exception de 6 détails.
Sauras-tu les découvrir ?

Trouve leurs différences.

SOLUTIONS

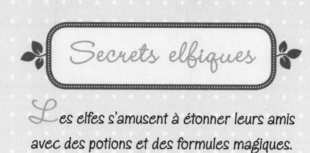

Secrets elfiques

Les elfes s'amusent à étonner leurs amis
avec des potions et des formules magiques.
Ils sont très jaloux de leurs secrets, mais… j'ai réussi
à les convaincre de m'en révéler quelques-uns.

Potion « multifruits »

Les elfes des bois excellent dans la préparation de délicieux élixirs qu'ils appellent « multifruits ». Ce sont des cocktails obtenus en mélangeant différents fruits récoltés dans les bois d'Erin. Le secret, c'est d'utiliser uniquement des fruits ultra-frais. Toi aussi, prépare ta potion en mixant par exemple 1 pomme, 1 orange, 1 fraise et 1 kiwi avec un peu d'eau sucrée. Offre-la à tes amis : ils seront ensorcelés par sa saveur incomparable !

Potion florale

Lave quelques pétales de roses, puis place-les dans un grand bol. Ensuite, avec l'aide d'un adulte, verse 2 tasses d'eau bouillante dessus. Couvre et laisse infuser pendant 1 heure. Puis filtre le mélange, et recueille l'eau de rose dans une bouteille fermée par un bouchon. Mets-en quelques gouttes sur ton visage et... tu resplendiras comme un elfe de lumière !

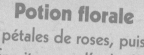

Formule de l'éternelle gaieté

Prononce cette formule elfique en détachant bien les mots et en exécutant soigneusement les mouvements. Comme par enchantement, tu vas te mettre à rire : tu verras, ça marche !

Pour jouir d'une éternelle gaieté / fais donc trois tours sur le côté, avec ta main, celle qui écrit / dessine un cercle, comme par magie, saute très haut, si tu le peux / jusqu'au plafond, si tu le veux !

La tête en bas, ferme les yeux,
et puis lève-les, vers le ciel bleu.

Commence à rire et tu verras / quelle immense joie éclatera !

Les lutins

Mon séjour chez les elfes fut très amusant et instructif, mais le temps que j'ai passé avec les lutins m'a paru s'écouler en un clin d'œil. Comme partout, certains d'entre eux sont très amicaux et d'autres pas très accueillants.

Par exemple, alors que j'essayais de prendre une photo de groupe, les gobelins m'ont mis un champignon puant sous le nez pour me faire éternuer, les Bonnets-Rouges faisaient les timides, les gardiens des trésors voulaient se placer devant tout le monde, tandis que le leprechaun fermait les yeux au moment précis du déclenchement. Finalement j'ai réussi à faire le cliché, mais... quel effort !!!

LEPRECHAUN LUTINS VERTS GARDIENS DES TRÉSORS

Une journée avec les lutins verts

Les lutins verts sont de grands connaisseurs en plantes des bois. Ensemble, nous avons récolté des fleurs, des feuilles et des fruits, pour faire des infusions, des tisanes, des sirops naturels… De véritables panacées !

La *bergamote* distillée désinfecte et cicatrise les plaies. Elle est aussi un excellent répulsif contre les insectes.

La tisane d'*aubépine*, mélangée à de la *mélisse*, possède un formidable effet relaxant.

Le sirop de *violette* est recommandé contre la toux et le rhume. Les feuilles peuvent être confites et utilisées pour les desserts !

L'infusion d'*hélichryse* est efficace contre la toux.

Une journée avec les lutins rouges

J'ai accompagné les lutins rouges dans leurs activités quotidiennes... Ils sont vraiment facétieux !
Voici leurs blagues préférées !

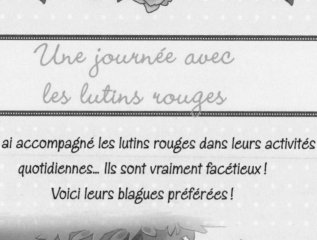

Certains lutins aiment réveiller leurs amis d'une manière... assez brutale : en leur lançant un fruit mûr en pleine figure !

Parfois les lutins dessinent de fausses traces sur le sol pour désorienter ceux qui les suivent et... brouiller les pistes !

Les jeux des lutins verts

Après une journée passée à prendre soin des arbres, au soir, les lutins aiment se divertir ensemble. Voici plusieurs jeux que j'ai pratiqués avec eux.

Courir en ribambelle !

À pratiquer en PLEIN AIR

Lutins en ribambelle

Un joueur se met au centre de l'espace, les autres s'éparpillent. Au signal, le premier joueur poursuit ses compagnons en essayant d'en toucher un. S'il y parvient, il le prend par le bras, et tous deux poursuivent les autres. Le jeu se termine quand tous les lutins forment une ribambelle.

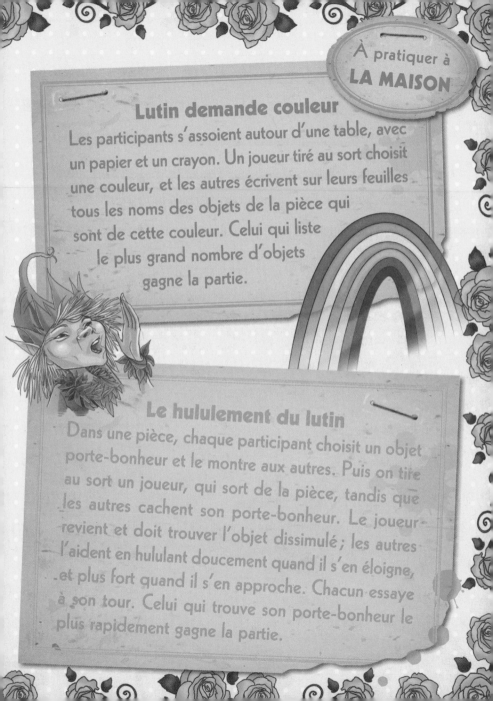

Lutin demande couleur

Les participants s'assoient autour d'une table, avec un papier et un crayon. Un joueur tiré au sort choisit une couleur, et les autres écrivent sur leurs feuilles tous les noms des objets de la pièce qui sont de cette couleur. Celui qui liste le plus grand nombre d'objets gagne la partie.

Le hululement du lutin

Dans une pièce, chaque participant choisit un objet porte-bonheur et le montre aux autres. Puis on tire au sort un joueur, qui sort de la pièce, tandis que les autres cachent son porte-bonheur. Le joueur revient et doit trouver l'objet dissimulé ; les autres l'aident en hululant doucement quand il s'en éloigne, et plus fort quand il s'en approche. Chacun essaye à son tour. Celui qui trouve son porte-bonheur le plus rapidement gagne la partie.

Les jeux des lutins rouges

Je dois admettre que les jeux des lutins rouges sont aussi très rigolos, même s'ils sont un peu plus mouvementés !

Ne me tiens pas par le nez !

On tire au sort un joueur, qui se place au centre de la pièce, et on lui bande les yeux. Tandis qu'il fait quatre tours sur lui-même, les autres se disposent en cercle autour de lui. Le joueur doit reconnaître ses compagnons en leur touchant le nez. S'il se trompe, il est exclu du jeu pendant trois tours.

À pratiquer à
LA MAISON

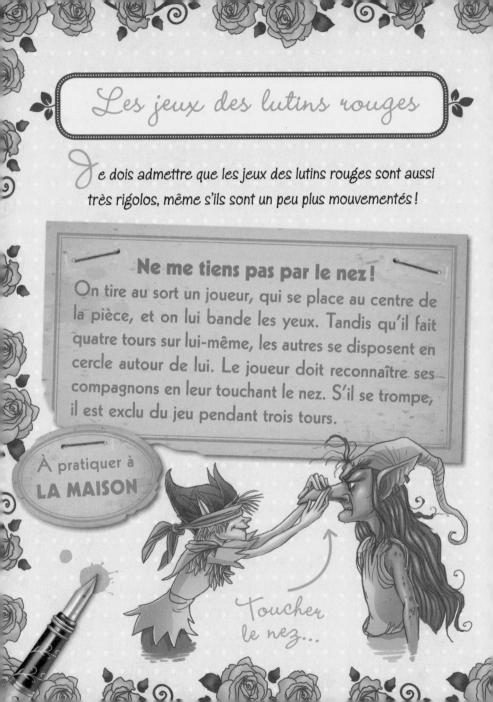

Toucher le nez...

Noix qui... brûle !

Les joueurs se disposent en cercle. On démarre la musique, et une noix est mise en jeu : les joueurs se la passent très rapidement de main en main. Quand la musique s'arrête, celui qui tient la noix est éliminé. Celui qui demeure seul dans le cercle gagne la partie.

Le sentier des gobelins

On dispose différents objets sur le sol, de manière à constituer un parcours d'obstacles (par exemple des chaises sous lesquelles on passera, des coussins par dessus lesquels sauter, des bouteilles à éviter). Le gagnant est celui qui parvient jusqu'au bout du trajet le plus rapidement, sans avoir déplacé un seul objet.

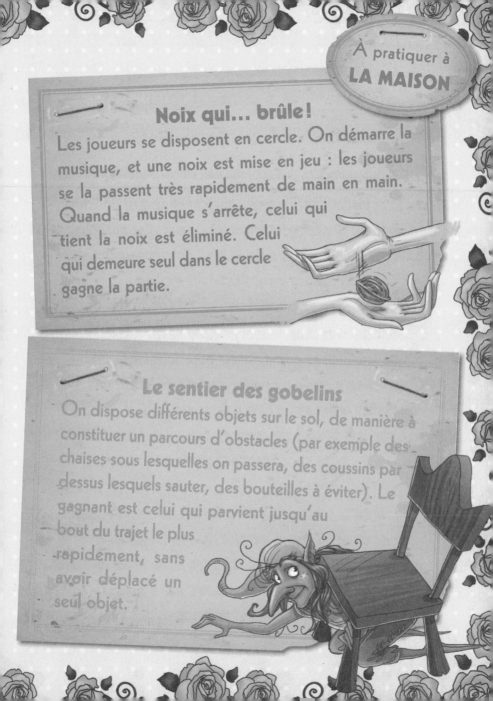

La fête du Milieu de l'été

Au crépuscule d'une certaine nuit d'été, les fées d'Erin, joyeuses et mutines, sortent en secret de leurs demeures. Si elles sont sûres de ne pas être aperçues, elles se prennent par la main et, tout en entonnant un chant magique, s'envolent dans les airs.

Elles dansent dans le ciel jusqu'au palais resplendissant de lumières et grand ouvert pour tous les invités. Commence alors la merveilleuse fête du Milieu de l'été ! Toutes les créatures d'Erin y prennent part et, au cours de cette nuit fantastique, chants, danses, banquets et jeux se succèdent jusqu'à l'aube.

J'ai eu le bonheur d'y être invitée, et c'est avec une grande émotion que je me suis rendue au palais. Quand je suis arrivée, les fées, les elfes, les lutins et les gnomes se sont salués, puis ils se sont mis à danser une farandole multicolore.

$\mathcal{A}$u début, j'étais un peu intimidée, mais quand un très bel elfe de lumière m'a invitée à danser, je me suis abandonnée à l'atmosphère de la fête, et j'ai passé des moments inoubliables !

Invitation des fées du monde d'Erin !

Les fées du monde d'Erin ont le plaisir de vous inviter à la

MERVEILLEUSE FÊTE DU MILIEU DE L'ÉTÉ QUI SE TIENDRA

au palais des fées, à partir du crépuscule.

SOURIRE OBLIGATOIRE !

Merci d'apporter quelques friandises.

Les habits de fête

Le soir de la fête, les fées avaient revêtu de merveilleuses robes.

Les fées de l'air portaient un habit en étoffe de nuage, délicat et léger comme elles.

L'habit des fées de l'eau était tissé de byssus, une soie obtenue à partir des fibres d'un précieux coquillage, la pinna nobilis.

Les fées du feu ont stupéfié tout le monde avec leurs habits incrustés de précieux bijoux en pierre de lave.

Cette extraordinaire robe, portée par les *fées de la terre*, a été tissée avec des feuilles chatoyantes de tilleul sauvage, une espèce qu'on ne rencontre que dans le monde d'Erin.

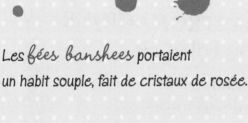

Les *fées banshees* portaient un habit souple, fait de cristaux de rosée.

Les *fées du Oui* avaient revêtu une robe décorée de broderies et de dentelles. Même quand elles sont élégamment habillées, ces fées ont toujours quelques taches de nourriture sur leurs vêtements !

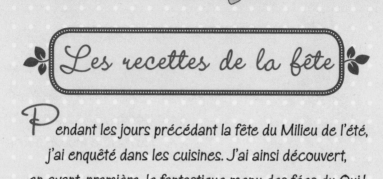

Les recettes de la fête

Pendant les jours précédant la fête du Milieu de l'été, j'ai enquêté dans les cuisines. J'ai ainsi découvert, en avant-première, le fantastique menu des fées du Oui !

MENU GASTROMAGIQUE

Pâté de thon rose

~*~

Ravioli au bouillon
de coquelicot

~*~

Boulettes épicées, accompagnées
d'une purée de lentilles rondes,
de choux râpés et de pommes
de terre en sauce.

~*~

Cœurs de fée

Ça m'a donné une de ces faims... Alors, tout en goûtant les différents plats, j'ai demandé aux fées du Oui de me confier leurs recettes. Je vous en révèle deux, mais que ça reste entre nous... Chuuut !

Pâté de thon rose

Écrase et mélange la même quantité de pommes de terre bouillies et de thon en boîte. Ajoute 1 poignée de câpres écrasées. Avec le pâté obtenu, façonne la forme d'un petit poisson. Puis mets le tout au réfrigérateur.

« Il est plus amusant de cuisiner en groupe ! », c'est la devise des fées du Oui.

Quel délice : framboises, myrtilles et... chocolat au lait !

Cœur de fée

Achète 2 galettes de génoise dans une pâtisserie. Sur l'une des galettes, étale de la confiture de fraises. Puis superpose la deuxième galette sur la première. Ensuite, avec un emporte-pièce de forme adaptée, découpe un cœur. Décore-le ensuite avec des framboises, des myrtilles et des copeaux de chocolat au lait.

Les jeux de la fête

Les jeux de la fête du Milieu de l'été furent fabuleux : je me suis amusée comme une folle.

En voici quelques-uns !

La course des baudruches

Les joueurs, munis d'un ballon gonflable, se mettent à genoux derrière la ligne de départ. Au signal, ils poussent leur ballon avec le nez. Le premier qui franchit la ligne d'arrivée gagne la partie. Variante : au lieu de pousser leur ballon, les participants peuvent aussi le faire avancer en soufflant dessus.

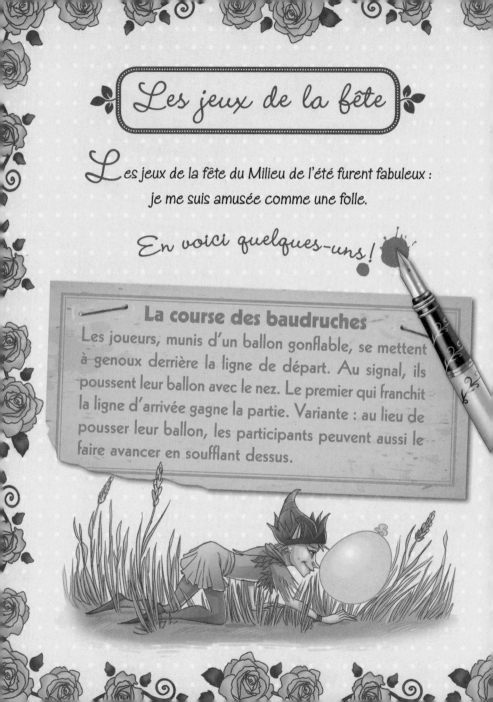

La file aux yeux bandés

Le but du jeu est que chaque participant, les yeux bandés, se place en file, suivant l'ordre alphabétique de son nom. Chacun prononce son nom à haute voix, et essaye de trouver sa juste place dans la file !

Danse-surprise

Les couples dansent avec un ballon tenu entre leurs deux fronts. Le maître du jeu est chargé de choisir les musiques, en alternant différents rythmes. Si le ballon tombe, les danseurs sont éliminés. Le jeu se termine quand il ne reste plus qu'un couple sur la piste : il est déclaré vainqueur.

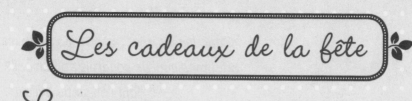

Les cadeaux de la fête

Lors de la fête du Milieu de l'été, les invités ont offert de somptueux cadeaux aux fées. Quel est ton préféré ?

Ce service de table en nacre est idéal pour déguster les plats concoctés par les fées du Oui !

Ces essences aux senteurs des bois sont exquises ! Pour le bain, celle qui est parfumée à la mûre est d'une délicatesse extrême !

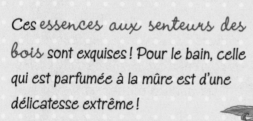

Ce miroir magique reflète l'image de celui qui s'y mire, en montrant sa véritable humeur. Et... il ne se trompe jamais !

Chacune de ces *tisanes* possède un effet magique. Je voudrais goûter celle dont l'étiquette indique : « tisane des idées géniales » !

Les gnomes sont très habiles dans le maniement de l'aiguille et du fil : ils assemblent des pièces de tissu magique pour confectionner ces *couvertures*, chaudes en hiver et fraîches en été !

Avec ces *formes*, les fées du Oui préparent d'excellents biscuits sablés, suivant une recette ultra-secrète !

Mais... c'est mon *appareil photographique* ! Qui peut bien me l'avoir dérobé pour l'offrir aux fées ? Peut-être les gardiens des trésors ? Quels gredins !

$\mathcal{L}$e chevalier servant idéal n'existe parfois que dans les rêves...
Réponds aux questions du test, et tu découvriras sa personnalité !

 1. Ton chevalier servant idéal apprécie :

a. Les promenades au-dessus des nuages.

b. Les vols sur un dragon ailé.

c. Les plongées sous-marines pour

découvrir les mystères des abysses.

 2. Avec quel cadeau fera-t-il ta conquête ?

a. Un bracelet de coquillages qu'il a ramassés pour toi.

b. Deux billets pour le parc d'attraction des fées.

c. Un appareil pour photographier l'invisible.

 3. Avec quel moyen de transport viendra-t-il te chercher

pour votre premier rendez-vous ?

a. Un magnifique cheval blanc.

b. Une auto qui file plus vite que la lumière.

c. Un vieux train qui chemine vers une ville imaginaire.

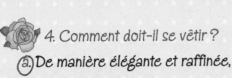

4. Comment doit-il se vêtir ?

a. De manière élégante et raffinée,
   prêt à être reçu à la cour du roi.

b. Avec des habits simples et pratiques,
   afin de gambader dans les
   prairies d'Erin.

c. Peu importe.

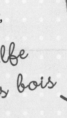

Elfe des bois

5. Comment imagines-tu la maison où vous vivrez ensemble ?

a. Un château enchanté.

b. Une cabane dans un arbre, au milieu de la forêt.

c. Une maison mystérieuse pleine de livres et d'objets étranges.

Solutions

Majorité de réponses A

Ton chevalier servant est un « prince charmant » classique,
romantique et élégant. Avec lui tu ne manqueras
ni de compliments, ni de bouquets de fleurs.

Majorité de réponses B

Ton chevalier servant est du genre aventurier.
Il aime les défis. Auprès de lui, tu ne
t'ennuieras jamais !

Majorité de réponses C

Ton chevalier servant est un rêveur, passionné de mystères.
Il vit dans un monde à lui, peuplé de personnages
et d'histoires fantastiques, qu'il te fera découvrir.

Voici une photo que j'ai prise durant la fête du Milieu de l'été dans la merveilleuse salle de l'Étoile. Quelle soirée inoubliable !

Ce voyage dans le monde d'Erin touche à sa fin. J'espère que vous avez pris autant de plaisir à le lire que moi à l'écrire.

$À$ présent, je suis nostalgique de tous les amis que j'y ai connus, en particulier les fées. Avant mon départ, elles m'ont offert un formidable cadeau... Savez-vous lequel ?

Un journal pour y noter mes souvenirs ! Une fée du lac m'a dit qu'il fallait les conserver comme des trésors, car leur valeur sentimentale croît avec le temps qui passe.

Je garderai toujours cette aventure au fond de mon cœur. Elle m'a fait comprendre que, grâce à la fantaisie, rien n'est impossible.

Nina

Table des matières

Téa Stilton

DU MÊME AUTEUR

Et aussi...

Hors-série
Le Prince de l'Atlantide